경주,
한시로
읽다

경주,
한시로 읽다

조철제 지음

학연문화사

사람 마음에서 우러나오는 정취나 감흥은 다양하다. 슬픔이나 기쁨을 각
종 사물에 의탁하여 자신을 드러낼 수도 있고 천리 밖을 자유롭게 거닐며 노래하
기도 한다. 작가가 처한 환경에 따라 그 표현 방법이 다를 수 있다. 아름다운 풍
광을 보고 오히려 깊은 비감에 휩싸이기도 하고, 흘러가는 구름을 보고 하염없이
눈물을 쏟는다. 인생의 삶은 구슬을 꿰듯 온갖 정감으로 엮어져 있다. 이를 가장
짧은 어구로 극대화한 글이 시일 것이다. 따라서 시를 통해 삶의 본질을 읊고, 나
아가 문학과 역사의 교훈을 되새긴다.

　　우리나라 각 지역 가운데 경주만큼 많은 시문을 남겨 놓은 곳은 없을 것이
다. 다른 지역과 비교할 수 없을 정도로 다르다. 왜 그랬을까. 경주는 신라 천년
의 도읍지다. 선인들의 발자취는 이르는 곳마다 살아 숨쉬고, 각종 문헌에 그 사
실이 고스란히 담겨 전하고 있다. 지난 역사의 흥망을 뒤돌아보고 인생의 덧없는
삶을 토로하지 않을 수 없었다. 이것이 마음 깊숙한 곳에서 절로 저려 나온 자연
의 소리이고, 역사 문화가 한데 어우러진 운율의 노래일 것이다. 그것도 천 년의
세월을 두고 읊었다는 데 의미가 있다.

경주 고적의 시문은 『경주고적시문록(慶州古蹟詩文錄)』(1962), 『동도시선(東都詩選)』(1967), 『경주고적시문화록(慶州古蹟詩文畵錄)』(1994)에 전하고, 『한시에 담은 신라 천년의 향기』 I · Ⅱ (엄경흠, 2000) 등 논저가 있다. 그렇지만 전체 시문의 정리는 아직 엄두도 내지 못하고 있다. 족히 수천 수는 될 것이다. 신라의 유적과 유물은 물론 어느 산천을 두고 읊지 않은 곳이 없다. 이를테면 경주 전역은 온통 시문으로 뒤덮여 있다고 할 것이다. 『경주시문록』 정리는 뒤로 미루고, 먼저 필자가 읽은 것 중 가장 정화(精華)된 한시를 간추려 2012년 6월부터 근 3년간 「서라벌신문」에 '한시로 읽는 경주'를 100여 회에 걸쳐 연재한 바 있다. 이를 다시 정리하고 해설을 덧붙여 시문의 이해와 경주 산책의 길잡이로 삼고자 한데 묶었다. 경주 고적을 거닐며 한 수 씩 읽어보는 것도 의미가 있을 것이다.

2021년 5월 조철제 쓰다.

목차

1. 월성에서月城
유의건(柳宜健)_12

2. 불국사를 찾아서佛國寺與世蕃話
김종직(金宗直)_14

3. 신라회고新羅懷古
윤자운(尹子雲)_16

4. 백률사의 낮 종소리栢栗午鍾
남용만(南龍萬)_18

5. 동도 객관에서東都客館
김군수(金君綏)_20

6. 해목령에서蟹目嶺
김예갑(金禮甲)_22

7. 계림에서雞林
최종겸(崔宗謙)_24

8. 계정에서溪亭
이언적(李彦迪)_26

9. 금장대에서金藏臺
김철우(金哲佑)_28

10. 첨성대에서瞻星臺
정몽주(鄭夢周)_30

11. 금오산의 아름다움鰲山奇勝
서거정(徐居正)_34

12. 옥적 소리를 듣고玉笛
안필(安㻶)_36

13. 동도권주가東都勸酒歌
이안눌(李安訥)_40

14. 임해전에서臨海殿
강위(姜瑋)_42

15. 분황사의 석탑芬皇寺石塔
김시습(金時習)_44

16. 대왕암에서大王巖
이홍리(李弘离)_46

17. 금송정에서琴松亭
　　성여신(成汝信)_48

18. 서악정사西岳精舍
　　이황(李滉)_50

19. 비오는 석굴암에서 하룻밤 묵다雨中宿石窟
　　남경희(南景羲)_52

20. 신라회고新羅懷古
　　유득공(柳得恭)_54

21. 반월성에서半月城
　　남경희(南景羲)_56

22. 옥적갑玉笛匣의 금장팔경金粧八景
　　작자 미상_58

23. 객사에 걸린 시에 차운하다敬次客舍板上韻
　　권종락(權宗洛)_60

24. 포석정의 새벽 달鮑石晩月
　　이두원(李斗遠)_62

25. 옥문곡을 지나며過玉門谷
　　김종직(金宗直)_64

26. 상서장에서上書庄
　　이종상(李鍾祥)_66

27. 백률사에서栢栗寺
　　정지상(鄭知常)_68

28. 사마소를 중건하고司馬所新構
　　이덕록(李德祿)_74

29. 고도남루에 올라서登故都南樓有感
　　류승현(柳升鉉)_76

30. 골굴암에서骨窟庵
　　이정익(李鼎益)_78

31. 봉황대의 저녁 종소리鳳臺暮鍾
　　유의건(柳宜健)_80

32. 열박재에서悅朴嶺
　　김극기(金克己)_82

33. 기림사 설초雪初 스님에게贈祇林寺雪初上人
　　최천익(崔天翼)_84

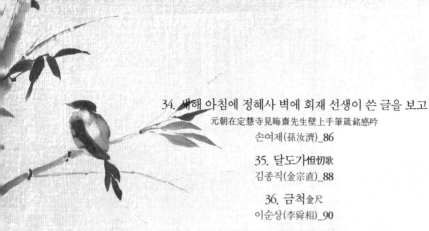

34. 새해 아침에 정혜사 벽에 회재 선생이 쓴 글을 보고
元朝在定慧寺見晦齋先生壁上手筆箴銘感吟
손여제(孫汝濟)_86

35. 달도가怛忉歌
김종직(金宗直)_88

36. 금척金尺
이순상(李舜相)_90

37. 소나무 사이의 돌부처題松間石佛
임화세(任華世)_92

38. 안압지에서雁鴨池
박한영(朴漢永)_94

39. 천관사에서天官寺
이공승(李公升)_96

40. 매월당의 북향화를 보고吟梅月堂北向花
손덕승(孫德升)_98

41. 육의당에서六宜堂
전식(全湜)_100

42. 천룡사天龍寺에서 읊다天龍寺吟呈同遊諸君子
이채(李埰)_102

43. 불국사에서佛國寺
이승만(李承晚)_104

44. 팔우정에서八友亭
이운붕(李運鵬)_108

45. 수재정水哉亭에서
이진상(李震相)_110

46. 반월성에서 술에 취해 거닐다自城中醉歸汝上
유의건(柳宜健)_112

47. 경주회고慶州懷古
성간(成侃)_114

48. 빙허루憑虛樓에서 읊다憑虛樓次靑軒柳相公命天韻
임화세(任華世)_116

49. 이견대에 거닐다遊利見臺
최남도(崔南圖)_118

50. 문정汝亭에서 다시 읊다到汝亭更唱
한문건(韓文健)_120

51. 단석산에서 김유신의 옛 일을 생각하며斷石庵憶角干故事
최옥(崔𡐔)_122

52. 양산 나정에서楊山蘿井
이홍리(李弘离)_124

53. 계림 부윤에게 시를 주다寄呈雞 林尹
정추(鄭樞)_126

54. 일승각一勝閣 낙성을 축하하며次一勝閣重建落成韻
이규일(李圭日)_128

55. 처용무를 보고處容
이제현(李齊賢)_130

56. 옥적 소리를 듣고次金命元鳳凰臺聞笛有感作韻
윤인함(尹仁涵)_132

57. 황룡사 우화문에서書黃龍寺雨花門
최홍빈(崔鴻賓)_134

58. 동도회고東都懷古
작자 미상_138

59. 문정汝亭에서 읊다到汝亭偶吟
이수인(李樹仁)_140

60. 봉황대에 올라登鳳凰臺
이말동(李末소)_142

61. 영지에서 낚시하다影池釣魚
남구명(南九明)_144

62. 임해정 낙성시에 차운하며謹次朴明府一湖(光烈)臨海亭韻
최현필(崔鉉弼)_146

63. 김생 글씨를 보고金生
이규보(李奎報)_148

64. 영묘사 부도에 올라登靈妙寺浮圖(唯一木浮圖獨存)
김시습(金時習)_150

65. 금오산에 노닐며遊金鰲山 偶吟求和同遊諸益
이채(李埰)_152

66. 계림에서雞林
이헌하(李憲河)_154

67. 괘릉에서掛陵
손윤구(孫綸九)_156

68. 망부석望夫石
유호인(兪好仁)_158

69. 월명항에서月明巷
성여신(成汝信)_160

70. 동도회고東都懷古
정중기(鄭重器)_162

71. 각간 김유신 묘를 지나며過角干墓
임화세(任華世)_164

72. 봉덕사 종奉德鍾
이순상(李舜相)_166

73. 석굴암에서石窟庵
이근오(李覲吾)_168

74. 금오산을 지나며過金鰲山
서숙(徐塾)_170

75. 기림사에서題祇林寺
이달충(李達衷)_172

76. 포석정에서鮑石亭
홍성민(洪聖民)_174

77. 모량역에서牟梁驛
김극기(金克己)_176

78. 영묘사 화재 소식을 듣고聞靈妙災 吟成一絶寄國卿金慕齋
권벌(權橃)_178

79. 백결 선생의 탄금대에서大百結先生 彈琴臺韻
남기항(南基恒)_180

80. 오릉에서五陵
최종겸(崔宗謙)_182

81. 만귀정에서 읊다題萬歸亭壁上
정극후(鄭克後)_184

82. 의풍루에서依風樓
이곡(李穀)_186

83. 기녀 영매英梅에 줌贈梅妓
신유한(申維翰)_188

84. 월성회고月城懷古
　　최남중(崔南重)_194

85. 내상 왕융王融에게 드리다獻內相王融
　　동경노인(東京老人)_196

86. 입춘일에 불국사에서立春遊佛國寺
　　최남도(崔南圖)_198

87. 매월사에서梅月祠
　　권종락(權宗洛)_200

88. 양진암에서養眞菴
　　박계현(朴啓賢)_202

89. 신라新羅
　　권근(權近)_204

90. 봉덕사 종奉德寺鍾
　　김시습(金時習)_206

91. 이사부異斯夫
　　이홍리(李弘离)_211

92. 감은사에서感恩寺
　　김철우(金哲佑)_214

93. 옛 무덤에서古塚
　　남경희(南景羲)_216

94. 멀리 남산을 바라보며悠然見南山
　　한여유(韓汝愈)_218

95. 동도회고東都懷古
　　장일(張鎰)_220

96. 선도산의 꾀꼬리 소리를 듣고仙桃流鶯
　　이두원(李斗遠)_222

97. 수운정에 머물다宿水雲亭
　　조정(趙靖)_224

98. 월성에서月城
　　이덕홍(李德弘)_226

99. 신라의 부러진 세 비석
　　유득공(柳得恭)_228

100. 문천에서蚊川
　　김극기(金克己)_232

1. 월성에서

화계(花溪) 유의건(柳宜健, 1687~1760)

성곽은 의연히 그 자리에 있는데
저 조각달은 몇 번이나 찼다 기울었던가.
화려한 궁궐과 아름다운 여인들 지금 어디에 있소
방초만이 옛 나라의 슬픔을 머금은 듯하구나.

月城(월성)

雉堞依然地不移(치첩의연지불이)
城頭片月幾盈虧(성두편월기영휴)
金宮粉黛今安在(금궁분대금안재)
芳草猶含故國悲(방초유함고국비)

『花溪集』권1

해설

『삼국사기(三國史記)』에, 탈해왕 원년(57)에 '월성(月城)'이 처음 보인다. 이후 102년(파사왕 23)에 성을 쌓고, 그해 7월에 왕이 월성으로 옮긴 기록이 있다. 935년(경순왕 9) 신라가 망할 때까지 약간 변동은 있었으나, 월성은 신라 천년의 왕궁이었다. 돌로 쌓았던 월성 성터가 옛날 그대로 남아있지만, 저 남산 위의 조각달은 몇 번이나 찼다가 기울었는지 모른다. 당시 월성 궁궐은 어떠했을까? 금빛 찬란한 궁정 사이에 대소 신료와 아름다운 여인들이 수없이 오가며 생활했을 것이다. 지금은 모두 어딜 가고 없는가? 그 화려했던 터에 잡초만 무성히 자라서 고국의 멸망을 슬퍼하듯 늘어져 있다고 했다. 이 같이 고국의 멸망을 노래한 시를 맥수가(麥秀歌), 회고시(懷古詩), 제영시(題詠詩)라 한다. 유의건은 경주 내남 화곡리 사람이며 진사시에 합격했다. 한편 '반월성(半月城)'이란 말은『삼국사기』나『삼국유사』에는 보이지 않고, 고려 명종 때 김극기(金克己)를 비롯해서 여러 문사들의 시문에 많이 나타나 있다.

2. 불국사를 찾아서

점필재(佔畢齋) 김종직(金宗直, 1431~1492)

그대 찾아 불국사에 오르니

소나무 사이사이 겹겹이 검푸르네.

푸른 산 반쯤에선 잠깐 비가 오더니

해 저물자 범종소리 울린다.

스님과 나눈 이야기 절로 상통하고

술잔 기울이며 옛 정취 무르익나니.

평상 위에 털석 주저앉아

마주보매 모두 구레나룻 더부룩하구나.

佛國寺與世蕃話(불국사여세번화)

爲訪招提境(위방초제경)

松間紫翠重(송간자취중)

靑山半邊雨(청산반변우)

落日上方鍾(낙일상방종)

語與居僧軟(어여거승연)

盃隨古意濃(배수고의농)

頹然一榻上(퇴연일탑상)

相對鬢鬚鬆(상대빈성송)

『佔畢齋集』 권2

해설

김종직이 김세번의 초대를 받아 불국사를 찾았을 때는 날씨가 참 좋았다. 소나무 사이를 둘러싼 검푸른 산은 한 폭의 그림이다. 산 중턱 절반쯤 비가 내리기 시작하자, 그때 석양의 정적을 깨뜨린 범종 소리가 들렸다. 스님과 얘기를 나누자 마음이 한없이 너그럽고, 한 사발 술을 마시니 고의(古意)가 넘쳐흘렀다. 아무렇게나 앉은 자리에서 서로들 모습을 보니, 모두 덥수룩한 구레나룻의 노쇠한 모습이다. 특히 이 시구 가운데 함련(頷聯)은 많은 사람들의 입에 회자 되었다. 푸른 토함산 반쯤은 비가 내리고, 그 절반은 저녁 햇살이 비치고 있었다. 산도 절집도 물에 씻은 듯 깨끗한데 어디선가 범종 소리가 더 없이 맑게 퍼지니, 그 청정 세계는 인간의 삶과 또 다른 지경이었다. 시의 제목은 '불국사에서 김계성과 대화를 나누다'(佛國寺與世蕃話)이다. '퇴연일탑상(頹然一榻上)'은 소식(蘇軾)의 시에 보인다.

조선시대 문사들이 불국사를 찾아 읊은 시가 많지만 이 시가 불국사 시의 원운(原韻)이다. 회재 이언적 등 많은 선비들이 이에 차운하여 읊은 시가 전하기 때문이다. 김종직의 이 시는 판각을 해서 범영루에 근래까지 게시해 두었으나, 지금은 없다.

3. 신라회고

낙한재(樂閑齋) 윤자운(尹子雲, 1416~1478)

화려했던 신라 유허지 민가로 변하였고
오릉의 가을 풀은 석양빛에 짙어가네.
아득한 지난 일은 물을 데 없고
울밑의 꽃잎 슬픔을 머금은 듯 이슬에 젖었구나.

新羅懷古 (신라회고)

羅代遺墟百姓家 (나대유허백성가)

五陵秋草夕陽多 (오릉추초석양다)

微茫往事問無處 (미망왕사문무처)

籬下寒花泣露華 (이하한화읍로화)

『東京雜記』題詠

해설

신라의 궁궐과 성곽 및 귀족들의 저택은 간 곳이 없다. 그 자리에 초라한 민가들이 들어서 있고, 나라의 흥망을 아는지 오릉의 가을 풀에 저녁볕이 따스롭다. 지난 일은 물어볼 데 없는데 다만 울타리 아래 가을 꽃잎이 이슬을 머금고 있으니 마치 고국을 그리워하여 눈물을 흘리는 듯하다고 작자는 노래했다.

신라를 그리워하는 시를 '동도회고(東都懷古)', '계림회고(雞林懷古)', '신라회고(新羅懷古)'라 한다. 이러한 이름으로 지어진 시가 매우 많은데, 모두 지난 역사의 흥망을 슬퍼하고 인생의 허무함을 주제로 삼았다는 공동성을 지니고 있다. 작가 윤자운은 세조 때 영의정에 올랐던 인물이다. 그의 조부 윤회(尹淮)는 세종 때 석 잔 술로 유명하고, 또한 젊은 시절 남의 집에 하룻밤 묵었는데, 온갖 수모를 겪으면서 거위가 알 낳기를 기다렸다는 '인욕이대(忍辱而待)' 고사의 장본인이다.

4. 백률사의 낮 종소리

활산(活山) 남용만(南龍萬, 1709~1784)

덩덩 어느 곳의 낮 종소리인가
깊숙한 절간에서 울려 온 고을에 들리네.
집집마다 아낙네들 서둘러 쌀 씻으니
부엌마다 푸른 연기 일시에 피어오르네.

栢栗午鍾(백률오종)

丁東何處午鍾鳴(정동하처오종명)
縹緲禪樓壓古城(표묘선루압고성)
饁婦家家淅米催(염부가가석미최)
靑煙萬竈一時生(청연만조일시생)

『活山集』권1

해설

시계가 없던 시절이다. 들녘에 나가 일하는 농부는 허기진 배를 안고 해시계를 쳐다본다. 집에서 점심 준비를 하는 여인들은 이를 모를 리 없다. 하루의 일을 생각해서 너무 빨라도 늦어도 곤란하다. 이때 시간을 알려주는 것은 백률사의 종소리다. 이 낮 종소리를 들으면 모든 아낙네는 일 나간 남편을 위해 쌀을 씻으며 점심을 서두른다. 집집마다 이 같은 상황에 처하다보니 밥 짓는 푸른 연기가 일시에 피어오를 수밖에 없다. 푸른 연기는 농부들의 굶주림을 달랜 희망이고, 사랑하는 아내를 한번 더 대하는 신호였다. 이 시에서 농부가 일 나간 들녘은 아마 월령평(月令坪)이었을 것이다. 작가 남용만은 경주시 보문에서 태어났다. 빙부가 화계(花溪) 유의건(柳宜健)이고 아들은 문과에 급제한 남경희(南景羲)다.

한시 유형은 다양하지만 크게 고체시(古體詩)와 근체시(近體詩)로 나눈다. 고체시는 글자 수나 배열 및 운자가 자유스러운 것으로 『시경(詩經)』이나 초사(楚辭)가 이에 속한다. 근체시는 당나라 때 크게 유행한 것으로 오언(五言)이나 칠언(七言)으로 나누고, 구(句)의 수에 따라 절구(絶句), 율시(律詩), 배율 등이 있다. 근체시는 글자 수와 운자 등을 엄격히 따지는데 일반적으로 한시라 하면 근체시를 일컫는다.

백률사(1933년)

5. 동도 객관에서

설당(雪堂) 김군수(金君綏, 생졸 미상)

무열왕의 후손이며 문열공의 가문이니
계림의 진골 자랑할 만하지 않으랴.
동쪽 하늘 끝자락인 고향에 머물다가
이제사 왕명 받들어 찾게 되니 다행이라네.

東都客館(동도객관)

武烈王孫文烈家(무열왕손문열가)
雞林眞骨得無誇(계림진골득무과)
故鄕尙在天東角(고향상재천동각)
今幸來遊作使華(금행래유작사화)

『東文選』권19

해설

김군수(金君綏)는 고려 고종 4년(1217)에 경상도 안찰사란 임무를 띠고 경주에 내려왔다. 그는 태종무열왕의 후손이고 『삼국사기』를 지은 김부식의 손자이다. 김부식의 시호가 문열(文烈)이다. 김군수는 명종 24년(1194) 문과에 장원급제하였

부윤 정현석 글씨

고 특히 문재가 매우 뛰어났다. 그는 신라 왕손인 진골 출신이니 긍지심도 있었고 자랑할 만하였다. 자신은 경주 김씨이니 경주가 고향이다. 고향에 오고 싶은 마음이 간질했으나 올 수 없다가 이제 사신의 공무를 띠고 내려올 수 있어서 다행이라고 노래하였다. 경주 한시사(漢詩史)로 볼 때 김군수의 이 시를 신라 이후 경주에 관한 시작(詩作) 가운데 최초의 작품으로 볼 수 있다. 경주의 시문, 경주의 한시라고 할 때 곧잘 이 작품을 첫 번째로 꼽았다. 『신증동국여지승람』에는 이 시어 중 '득무과(得無誇)'가 '고무다(固無多)'로, '천동각(天東角)'은 '천남각(天南角)'으로 실려 전한다. 동도객사 동경관(東京館)에 이 시가 항상 게시되어 있었으나 시판이 언제 없어졌는지 아무도 모른다. 1882년(고종 19)에 부윤 정현석(鄭顯奭)이 쓴 '동경관(東京館)'이란 현판은 지금 국립경주박물관에 소장되어 있다.

경주 객사 동경관(1915년)

6. 해목령에서

홍륜(興倫) 김예갑(金禮甲, 1673~1742)

우연히 게의 눈 형상 닮아 이 이름 붙는데
안개구름 일으키며 수많은 변화 나타낸다.
인간의 흥망성세 두루 보아 왔을 텐데
기울고 일어나며 누린 평화 그 몇 번인가.

蟹目嶺(해목령)

偶因形似有斯名(우인형상유사명)
噴霧興雲變態生(분무흥운변태생)
人世滄桑看得否(인세창상간득부)
幾回傾覆幾昇平(기회경복기승평)

『興倫文集』권1

해설

남산 상서장에서 능선을 타고 완만하게 오르다 거의 2km 지점에 이르면 갑자기 우뚝 솟은 고개가 있다. 이를 해목령이라 하며 그 정상에는 기이한 바위가 옹기종기 모여 있는데 게눈바위라 한다. 게는 항상 눈을 뜨고 있으며 고개를 돌리지 않고도 사방으로 볼 수 있다. 이곳에서 경주 시가지가 한 눈에 내려다보이며, 내남과 불국사 방면까지 훤히 보인다. 시인은 게눈바위를 의인화했다. "너는 금오산 자락에 앉아 구름과 안개를 일으키며 영원히 살아왔다. 그렇다면 경주의 수많은 사람과 역사를 너의 두 눈으로 똑똑히 보아왔을 것인데, 그 가운데 얼마나 많은 전란을 겪었고, 평화를 누리던 시기는 또한 얼마인가" 하고 물었다. 참으로 의미있는 말이다. 시가지에서는 해목령을 잘 볼 수 없고 서악이나 율동에서 보면 선명하게 보인다. 김예갑은 경주시 황남리에서 태어났으며, 사마시에 합격하였다. 효처당(孝處堂) 곽표(郭杓, 1818~1875)의 시문집『효처당유고』를 보면, 이 시와 비슷한「해목령감음(蟹目嶺感吟)」이란 시가 전한다.

7. 계림에서

제암(霽巖) 최종겸(崔宗謙, 1719~1792)

계림에 소슬바람 불어오니
고국(故國)의 가을소리 들리는 듯.
천년 왕기(王氣) 사라지면
의지할 곳 잃은 생민들 다시 어딜 갈까.

雞林(계림)

雞林風蕭瑟(계림풍소슬)
故國秋聲落(고국추성락)
千年王氣收(천년왕기수)
瞻烏更誰屋(첨오갱수옥)

『霽巖集』권1, 東都懷古十四詠

해설

계림은 김알지가 탄강한 곳으로, 신라 김씨 왕조의 성지이다. 계림에 쓸쓸한 바람이 불어오면 왠지 고국 신라는 쇠망해 가는 소리인 듯 처량하다. 신라가 망하자 제왕의 서린 기상도 사라졌다. 어지럽게 흩어진 낙엽을 밟으며 머뭇거리고 있을 뿐 백성들은 어디 갈 곳이 없다. 망국의 한을 실감나게 읊었다.

위 시 가운데 결구가 가장 난해하다. 한시에 용사(用事)란 말이 있다. 전고(典故)에 있는 말을 자신의 시작(詩作)에 자연스럽게 인용한다. 용사를 적절히 사용하여 시어에 문향(文香)이 더하고 무게감을 높혀준다. 우리 선인들은 워낙 고전에 밝아 용사를 자유롭게 구사하였다. 결구의 '첨오(瞻烏)'는 『시경, 소아』에 나라 잃은 백성을 날아갈 곳 없는 까마귀에 비유하여 지은 글 속에 나온다. 작가 최종겸은 경주 내남 이조리에서 태어났으며, 특히 시문이 뛰어났다.

8. 계정에서

회재(晦齋) 이언적(李彦迪, 1491~1553)

숲속의 새소리 아름답게 들려오는
개울가에 작은 띠 집 새로 지었다.
홀로 술 마시며 밝은 달 모셔오니
흰 구름이 한 칸 집에 더불어 깃든다.

溪亭(계정)

喜聞幽鳥傍林啼(희문유조방림제)

新構茅簷壓小溪(신구모첨압소계)

獨酌只邀明月伴(독작지요명월반)

一間聊共白雲棲(일간료공백운서)

『晦齋先生文集』권2

독락당 계정(한석봉 글씨)

해설

회재 이언적은 한평생 관료생활을 했으나 40대 초에 6년 간 고향에 은거한 일이 있다. 그는 직언을 서슴지 않다가 간신의 모함을 받았던 것이다. 향리에 내려온 그는 안강 자옥산 기슭에 작은 정자를 지었다. 정자 아래 청정한 개울물이 흘러내렸다. 이곳을 아는 사람이 없고 찾아오는 이는 더욱 드물다. 이따금 그는 밝은 달을 벗삼아 술잔을 기울인다. 이태백의 '산중대작(山中對酌)'이란 시구를 되뇌며 말이다. 그런데 어디서 흘러왔는지 한 조각 흰 구름이 정자를 감싸 안는다. 작은 정자에 나와 밝은 달, 흰 구름이 나눠 사는 것이 아니라 공존한다. 자연 친화이며 물아일체를 나타낸 말이다. 속세의 한 점 티를 찾아 볼 수 없는 지순(至純)의 시경(詩境)이다. 독락당 계정을 두고 이른다. 이 같은 도학자의 시를 달리 철리시(哲理詩)라 한다.

9. 금장대에서

봉려(蓬廬) 김철우(金哲佑, 1569~1653)

금장대에 오르니 가을바람 쓸쓸한데
한 갈래 긴 강이 바위 안고 흘러간다.
고국 천 년의 일 물을 이 없으니
차라리 벗들과 마주앉아 술잔을 기울이네.

金藏臺(금장대)

故國秋風客上臺(고국추풍객상대)
長川一帶抱巖回(장천일대포암회)
千年往事憑誰問(천년왕사빙수문)
寧對佳人數擧杯(영대가인수거배)

『蓬廬公遺稿』 권1

해설

금장대(金藏臺)가 긴 강가에 고림(高臨)하고 있다. 멀리서 보아도 장관(壯觀)으로, 경주에 새로운 관광 명소이며 유식(遊息)의 공간이다. 그런데 금장대의 '장' 자를 한자로 어떻게 쓸 것인가 논란이 있다. 감출 장(藏) 자 이외에 집 장(莊)자와 어른 장(丈) 등을 쓴다. 결론적으로 말하면 장(藏) 자가 맞다. 『동경잡기(東京雜記, 1669)』와 『경주부읍지(慶州府邑誌, 1789)』에 모두 '금장대(金藏臺)'로 표기되어 있다. 시인묵객들이 시를 음영하고 금장낙안을 노래할 때 간혹 '장(莊)' 자 등을 사용했을 뿐이다. 그리고 한자의 어의를 보아도 '장(藏)' 자가 뜻이 깊고 가장 잘 어울린다. 신라 때 어느 왕이 이곳에 와서 놀았다는 기록이

있듯이 이 시에서도 신라 유적으로 되새기고 있다. 김철우는 경주 동해 호곡(虎谷) 출신이다. 그는 많은 시문을 남겼으나 화재로 거의 소실되었다. 지금 남아 있는 시문은 유고본으로, 아직 문집으로 간행되지 않았다. 그는 금장대 시 이외에 금송정과 첨성대 등 경주에 관해 귀중한 시문을 남겨 두었다.

한편, 해은(海隱) 권영도(權寧燾, 1905~1993)의 시문집『해인시집(海隱詩集)』속에 금장낙안(琴藏落雁)이란 시가 전하여 주목된다.『삼국사기』열전(列傳)에 있는 이야기다. 신라 백결(百結) 선생은 가난하지만 거문고를 즐겨 탔다. 그가 죽은 후 거문고를 이곳 금장대 위에 숨겨뒀다. 그런데 기러기가 날아와 이 위에 내려앉아 놀면서 마침내 거문고는 화석화가 되었다. 이로써 금장낙안(琴藏落雁)이라는 말이 생겼다고 한다. 1960년 초에 지은 작품으로, 구전이긴 하지만 금장낙안 설화 중 가장 의미가 깊다. 아울러 금장대(金藏臺)를 금장대(琴藏臺)라 불렀다는 새로운 사실을 밝혀두었다.

10. 첨성대에서

포은(圃隱) 정몽주(鄭夢周, 1337~1392)

월성 가운데 첨성대가 우뚝한데
옥적 소리는 만고의 바람 잠재운다.
신라의 문물은 세월 따라 변했건만
아! 강산은 예나 지금이나 그 모습 그대로다.

瞻星臺(첨성대)

瞻星臺兀月城中(첨성대올월성중)
玉笛聲含萬古風(옥적성함만고풍)
文物隨時羅代異(문물수시나대이)
嗚呼山水古今同(오호산수고금동)

『圃隱集』권2

신라가 점차 국위를 떨치며 찬란한 문화적 꽃을 피울 때 첨성대가 축조되고 옥적이 출현
했다. 물론 신라 전성기 때 만들어진 것은 이 뿐만이 아니었다. 수많은 문물과 유적은 세
월의 흐름에 따라 모두 무너지고 없어졌다. 그렇지만 우뚝 솟은 첨성대와 청아한 옥적
소리는 그 모습이고 울림이다. 신라의 강산과 더불어 변함이 없는 것은 오직 이들 몇 가
지 유물뿐이다. 외롭고 긴 그림자를 드리운 가운데 옛 주인을 찾는 듯 옥적의 구슬픈 곡
조가 과객의 마음을 끌어당긴다. 과객은 석양을 등진 채 느린 걸음으로 월성을 오르내리
며 떠날 줄을 모른다. 신라 유물 가운데 가장 원형이 잘 보존된 것은 아마 첨성대일 것이
다. 이에 관한 시는 포은 이전에 안축(安軸)의 시가 있어서 같이 싣는다.

월성 첨성대에서

근재(謹齋) 안축(安軸, 1287~1348)

신라의 흥망은 세월 속에 묻혔어도
첨성대는 하늘 높이 우뚝 솟아 있네.
그 누가 오늘날 천문을 살핀다면
한 점 별이 사신(使臣)되어 온 줄 알까.

月城瞻星臺(월성첨성대)

前代興亡歲月經(전대흥망세월경)

石臺千尺聳靑冥(석대천척용청명)

何人今日觀天象(하인금일관천상)

一點文星作使星(일점문성작사성)

11. 금오산의 아름다움

사가(四佳) 서거정(徐居正, 1420~1488)

멀리서 보면 바다 위의 금자라인데
풍류와 문물이 옛날과는 다르구나.
깨어진 비석에는 어쩌다가 김생 글씨가 보이고
옛 절간에는 최치원의 시가 남아있네.
터만 남은 궁실에는 냉이만 우거졌고
주인 없는 동산에는 끊긴 담장이 무너질 듯.
봄날 시름이 바다 보다 깊은데
그 누가 쇠피리를 흥겹게 불어대나.

鰲山奇勝(오산기승)

海上金鰲眺望宜(해상금오조망의)
風流文物異前時(풍류문물이전시)
破碑或見金生字(파비혹견김생자)
古寺曾留致遠詩(고사증류치원시)
甲第有基荒薺合(갑제유기황제합)
名園無主短墻危(명원무주단장위)
春愁如許深於海(춘수여허심어해)
鐵笛何人滿意吹(철적하인만의취)

『四佳集』詩集 補遺

해설

서거정은 과거에 합격한 후 줄곧 벼슬을 했다. 여섯 왕을 섬기며 45년 간이나 봉직하였고, 23년간 문형(文衡)을 관장했으며 23차에 걸쳐 과거시험을 주관하여 인재를 뽑았다. 그는 시문을 잘 지어서 기재(奇才)라 일컬었다. 서거정이 경주에 관해 남긴 대표적인 글은 의풍루(依風樓)와 객사의 중건기다. 그리고 「경주십이영(慶州十二詠)」은 계림의 영이함(雞林靈異), 금오산의 아름다움(鰲山奇勝), 포석정의 감회(鮑亭感懷), 문천에서 바라봄(蚊川騁望), 반월의 옛 성(半月古城), 첨성대의 우뚝함(瞻星老臺), 황량한 분황사(芬皇廢寺), 예스런 영묘사(靈妙舊刹), 오릉을 위로함(五陵悲弔), 남정을 구경함(南亭淸賞), 옥적 소리를 들어며(聞玉笛聲), 김유신 묘를 지나며(過金庾信墓)이다. 서거정의 이 시에 서천(西川) 어세겸(魚世謙)과 시암(是庵) 임화세(任華世)가 차운한 글이 있다. 모두 신라를 노래한 회고시다.

12. 옥적 소리를 듣고

창우(蒼愚) 안필(安㻶, 1838~1912)

천 년 전 신라의 한 개 남은 옥적이
지금도 청량하게 남쪽 소리를 내는구나.
왕건도 그대의 뜻 꺾을 수 없었으니
아직도 옛 임을 그리워하는 마음 안타깝구나.

玉笛(옥적)

羅氏千年餘一笛(나씨천년여일적)
至今淸亮調南音(지금청량조남음)
聞道麗王移不得(문도여왕이부득)
憐渠猶有戀君心(연거유유연군심)

『蒼愚文集』권1

해설

국립경주박물관에 소장되어 있는 옥적(玉笛)의 운명은 기구했다. 동해 용이 신라 어느 왕에게 바쳤다는 옥적이 지금의 것인가에 대해 논하려는 게 아니다. 신라 이후 경주에는 옥적이 없었던 적이 없었다. 태조 왕건이 신라의 보물인 옥적을 가져오게 했다. 그런데 문경 새재를 넘자 옥적은 아무리 불어도 소리가 나지 않았다. 옥적이 옛 주인을 알아본다며 왕건은 경주로 되돌려 보냈다. 『동경잡기』의 내용이다. 이후 옥적은 신라 충절의 화신(化身)이었으며 경주 사람들의 특별한 사랑을 받았다. 수많은 사람과 물건이 고려에 귀부했지만 옥적만은 왕건의 위력 앞에 굴복하지 않았던 것이다. 따라서 경주 사람들은 옥적의 맑은 소리를 듣고 신라를 회상하였는데, 이러한 까닭으로 옥적은 오늘날까지 전승되었다. 창우 안필은 경주시 강동면 호명리 사람이다.

경주에 삼기팔괴(三奇八怪)의 설화가 전한다. 1957년에 손대호(孫大鎬)가 펴낸 『경주고적해설(慶州古蹟解說)』을 보면, 삼기는 옥적(玉笛)·신종(神鍾)·금척(金尺)이고 팔괴는 다음과 같다.

1. 백률송순(栢栗松筍) : 백률사 소나무를 꺾어보면 움이 생겨 나온다. 고사하는 일반 소나무와 달리 이곳 소나무는 다시 산다.

2. 압지부평(鴨池浮萍) : 안압지 부평초는 물에 떠다니며 뿌리가 땅에 닿지 않고 자생한다.

3. 계림홍엽(雞林紅葉) : 사계절 단풍이 든 황엽이다. 신라가 망할 때 나온 말이라고도 한다.

4. 문천도사(蚊川倒沙) : 문천의 물은 하류로 흘러가지만 모래는 상류로 역행한다.

5. 불국영지(佛國影池) : 불국사의 다보탑과 석가탑이 유영탑과 무영탑이라 불리게 된 원인이다. 영지는 불국사에서 10리 거리에 있는 못으로, 다보탑 그림자는 이 못에 보이지만 석가탑은 보이지 않는다.

6. 금장낙안(金丈落雁) : 서천 하류에 금장사와 금장대가 있다. 이곳에는 충간(忠諫)한 기생이 투신자살한 후 기러기가 지날 때 경치에 도취하여 내려앉았다.

7. 남산부석(南山浮石) : 남산에 대왕암이 높이 솟아 공중에 둥실 솟아 있다. 바위가 창공에 떠 있어서 그 사이에 새끼나 끈이 관통한다.

8. 오산낙조(鰲山落照) : 해가 이미 서산에 떨어졌으나 금오산의 햇빛은 오랫동안 남아 있다.

9. 서산낙조(西山落照) : 해는 이미 서산에 떨어지고 없으나 남산과 중국 장안은 햇빛이 오랫동안 남아 있다.

10. 서산모우(西山暮雨) : 서산 중턱에 구름이 낮게 떠돌다 석양이 되면 한줄기 비가 내려 장안 일대를 맑게 한다.

11. 오산자하(鰲山紫霞) : 남산 중턱에는 항상 안개가 자욱이 끼어 있다.

12. 나원백탑(羅原白塔) : 나원리 나원사지 탑은 먼 데서 보면 하얀 백색으로 보인다.

13. 불국십발(佛國十鉢) : 불국사 바리때는 열 개를 합하여도 한 개같이 되며 중첩할 수 있다.

14. 기림오색(祇林五色) : 기림사 경내에 있는 오색 모란이다. 한 나무에 다섯 가지 색깔 꽃이 핀다.

15. 봉황부필(鳳凰浮筆) : 봉황대는 붓 한 자루가 공중에 떠 있는 것과 같다.

모두 십오괴(十五怪)이고, 그 기괴함을 간략하게 기록해 두었다. 일반적으로 삼기의 신종은 봉종(奉鍾)이라 하며, 팔괴는 학자와 책마다 조금씩 달리 적어 놓았는데 굳이 여덟 가지로 한정하는 것은 별 의미가 없다. 신라 이후 자발적으로 생겨난 경주의 정서이며 노래였다. 신이하고 기괴한 것은 모두 신라의 유물이나 유적으로, 결국 경주 사람들이 신라를 못 잊어 하는 동경의 마음에서 비롯된 말이다.

경주 남산 부석

13. 동도권주가

동악(東岳) 이안눌(李安訥, 1571~1637)

한 잔 또 한 잔 드시게나
천 년 계림이 한바탕 꿈인 걸.
우리네 인생 풀잎에 맺힌 이슬이니
술 안 마시고 이제 무엇을 하려는가?

東都勸酒歌(동도권주가)

一盃傾又一盃傾(일배경우일배경)
千載雞林一夢驚(천재계림일몽경)
況復人生草頭露(황부인생초두로)
不傾盃酒欲何營(불경배주욕하영)

『東岳集』권11 月城錄

해설

1613년(광해군 5) 10월에 동악 이안눌이 경주 부윤으로 부임하여 이듬해 10월에 이임하기까지 근 200여 수의 주옥같은 시문을 남겼다. 이 가운데 「동도권주가」 2수가 실려 있는데 위의 시가 첫 번째다. 원문에는 '가(歌)' 자가 아닌 '요(謠)' 자로 되어있다.

동도 풍류객이라면 술잔을 앞에 두고 어찌 노래 한 곡이 없겠는가. 인생은 허망하고 무상하다. 와각(蝸角)에서 부질없이 다툰들 무엇을 하랴. 그저 한 잔 마시고 또 한 잔 마신다. 지난 신라 천 년의 역사도 한바탕의 꿈이 아니던가. 찬란했던 당시 유적은 아무 곳에도 찾을 수 없고 팅 빈 성곽만 남았다. 천 년 세월도 한 순간인데 풀잎에 이슬 같은 우리네 인생, 얻고 잃음 따위를 따지지 말고, 잔술에 진탕 취해 보자고 노래했다. 동도 악부에서 기녀들이 불러오던 노래를 동악이 한역(漢譯)한 것으로 보인다.

경주 악무(樂舞 1914년)

14. 임해전에서

추금(秋琴) 강위(姜瑋, 1820~1884)

십이 봉은 낮아지고 옥전(玉殿)은 황량해도
푸른 못엔 예처럼 기러기 소리 높구나.
천주사 분향소를 애써 찾아 무엇하오
들풀 우거진 곳이 내불당 터인 것을.

臨海殿(임해전)

十二峯低玉殿荒(십이봉저옥전황)
碧池依舊雁聲長(벽지의구안성장)
莫尋天柱燒香處(막심천주소향처)
野草痕深內佛堂(야초흔심내불당)

『姜瑋全集』

해설

신라 문무왕 14년(674) 2월에 궁궐 안에 못을 파고 가운데 산을 조성한 후, 진귀한 화초와
짐승을 길렀다. 이 못을 월지(月池)라 하고 그 곁에는 임해전(臨海殿)을 지었다. 신라 이후
이곳은 황량하게 변하여 찾는 사람이 없었고 간혹 오리와 기러기 떼들만 날아들었다. 조
선 초에 월지를 안압지(雁鴨池)라 불렀고, 문무왕이 안압지에 무산십이봉(巫山十二峯)을
본떠 산을 만들었다는 말이 전해 왔다. 옛날 초나라 양왕이 고당에서 무산(巫山) 선녀를
만나 놀았는데, 무산십이봉은 곧 신선들의 세계이다. 안압지는 이 같은 고사와 얽힘으로
써 많은 문인들이 이를 시로 읊으며 노래했다. 안압지 남쪽에 신라 왕실의 내불당인 천주
사가 있었으나 이마저 들녘으로 변했음을 슬퍼하고 있다. 안압지는 근래 다시 월지로 개
칭하였다.

15. 분황사의 석탑

매월당(梅月堂) 김시습(金時習, 1434~1493)

가파르게 높이 솟은 석탑
쳐다보니 까마득하여 오르기 어려워라.
층층마다 봄풀이 자라나 있고
켜켜이 이끼 꽃이 아롱져 있다.
텅 빈 감실 안에 본디 부처 없었던 듯
가휘(訶攄)의 형상은 오랑캐와 같네.
아득한 천고의 지난 일들이
한 끼 밥 짓는 순간에도 못 미치다니.

芬皇寺石塔(분황사석탑)

石塔正嶙峋(석탑정린순)

仰看難躋攀(앙간난제반)

層層春草長(층층춘초장)

級級蘇花斑(급급선화반)

空洞元無佛(공동원무불)

訶攄像似蠻(가휘상사만)

悠悠千古事(유유천고사)

不及一炊間(불급일취간)

『梅月堂集』권12

해설

5언과 7언의 율시는 모두 8구(句)이지만 2구씩 4연(聯)으로 묶고, 이를 다시 수련(首聯) 함련(頷聯) 경련(頸聯) 미련(尾聯)으로 나눈다. 이 시의 수련과 함련을 보면 지금의 3층탑 이 아니었다. 『동경잡기』에, "분황사 9층탑은 신라 삼보(三寶)의 하나다. 임란 때 왜구가 그 절반을 무너뜨렸고, 뒤에 어느 중이 개축하려다 또 그 절반을 무너뜨렸다"고 했다. 임 란 이전 매월당이 찾았을 때는 거의 9층 전모(全貌)의 탑이었다. 경련의 '가휘(訶攝)'란 감 실 문설주에 있는 인왕상을 이른 것으로 추정된다. 또한 매월당은 석탑이라 했지만 실제 로는 전탑(塼塔)이다. 매월당이 승려 신분으로 전국을 떠돌다 경주에 온 것은 1463년경이 고, 1465년부터 남산 용장사에 기거하다가 1471년 봄에 서울로 떠났는데 그때 그의 나이 는 서른일곱 살이다.

16. 대왕암에서

용와(慵窩) 이홍리(李弘离, 1701~1778)

살아서 탐욕스런 저 왜구를 그리도 싫어해
죽어서는 나라 위해 바다에 묻혔도다.
해룡(海龍)이 꿈틀거렸다는 그곳을 보며
지금도 사람들은 대왕암이라 부른다네.

大王巖(대왕암)

生憎漆齒匪茹饞(생증칠치비여참)
死葬千年碧海鹹(사장천년벽해함)
回首神龍蜿蜒處(회수신룡완윤처)
至今人道大王巖(지금인도대왕암)

『慵窩集』권1

해설

신라 문무왕은 재위 20년(680) 7월에 죽으면서 자신을 동해 가 바위 가운데 장사를 지내라고 유조(遺詔)하였다. 『삼국사기』를 보면 왜구의 침입은 헤아릴 수 없을 정도로 많다. 신라 사람들이 저들에게 얼마나 많은 피해를 입었는지 여실히 보여주는 글이다. 문무왕은 죽어서 해룡(海龍)이 되어 왜구를 막는 신라의 수호신이 되겠다는 뜻도 이 같은 의미이다. 위 시에서 칠치(漆齒)는 흑치(黑齒)의 뜻으로 이를 검게 물들인 오랑캐이고 비여(匪茹)는 자신의 역량을 헤아리지 못한 채 무분별하게 대든다는 말로, 모두 왜구를 지칭한다. 지금 바닷가에 해룡이 나타났다는 곳을 바라보니 아무런 흔적이 없지만 사람들은 선왕의 은혜를 잊지 않고 아직도 그 바위를 대왕암이라 부른다고 읊었다.

17. 금송정에서

부사(浮查) 성여신(成汝信, 1546~1632)

금오산 꼭대기에 금송정이 있는데
그 옛날 옥보고는 거문고 타고 놀았다네.
새 곡조를 연주하자 학이 날아와 덩실 춤을 추었는데
이제는 모두 지나간 일, 물만 동으로 흘러간다.

琴松亭(금송정)

金鰲山頂松亭在(금오산정송정재)
聞昔高仙抱瑟遊(문석고선포슬유)
彈盡新調玄鶴舞(탄진신조현학무)
如今往事水東流(여금왕사수동류)

『浮查集』권10

해설

옥보고(玉寶高)는 신라 경덕왕 때 사람이다. 그는 지리산 운상원(雲上院)에 들어가서 50년 동안 거문고를 익혔고, 새로운 가락 30곡을 지었다. 그가 거문고를 타면 현학(玄鶴)이 날아와 앞에서 춤을 추었다 한다. 따라서 그의 거문고를 현학금(玄鶴琴)이라 했으며, 사람들은 그를 신선이라 했다. '그가 거문고를 즐겨 타던 곳은 금오산 정상 금송정이다'라는 말이 『신증동국여지승람』에 보인다. 신라가 전성했을 때 정악(正樂)이 온 산천에 울려 퍼졌으나 지금 지난 일은 간 곳이 없고 강물만 예나 다를 바 없이 흘러간다고 노래했다. 이 시는 성여신이 읊은 동도유적(東都遺跡) 27수 가운데 한 수다. 성여신은 진주 사람이며, 남명 조식의 문인이다. 예순 넷의 나이로 소과에 합격했으나 문명이 높았다.

금오산 정상 부근의 금송정

18. 서악정사

퇴계(退溪) 이황(李滉, 1501~1570)

경주에 선현의 제사가 무에 그리 시끄럽소
변치(變置)하였지만 참으로 학사가 새롭구나.
다만 학생들에게 많이 가르치려 할 뿐
나라 혜택이 두루 미치게 해야 할 것이오.

西岳精舍(서악정사)

東都賢祀謗何頻(동도현사방하빈)
變置眞成學舍新(변치진성학사신)
但使菁莪能長育(단사청아능장육)
涵濡聖澤屬儒紳(함유성택속유신)

『退溪集』권4

해설

1561년(명종 16)에 퇴계 이황의 제자 구암(龜巖) 이정(李楨)이 경주 부윤으로 와서 김유신을 위해 사우(祠宇)를 건립하려 했다. 이때 경주 선비들은 설총과 최치원을 같이 모시자고 해서 함께 봉안하며 향현사(鄕賢祠)라 하였다. 이듬해 이정이 향현사의 제호를 청하자 퇴계는 서악정사(西岳精舍)라 직접 써서 보냈다. 여기서 문제가 있었다. 사(祠)는 제향이 목적이지만 정사(精舍)는 서원과 마찬가지로 제향과 교육의 기능이 있다. 김유신은 무덕지인(武德之人)으로, 정사에 모시는 데 적합하지 못하다는 이견이 분분하였다. 퇴계는 이를 못마땅해 하며, 비록 다른 곳의 예와 다르지만 서원 설립의 근본 취지는 학생을 가르치는 데 있다고 말했다. 때문에 퇴계는 강당을 '시습당(時習堂)'이라 이름하였다. 서악정사는 1623년(인조 1)에 사액됨으로써 서악서원이라 했다.

19. 비오는 석굴암에서 하룻밤 묵다

치암(癡庵) 남경희(南景羲, 1748~1812)

비바람에 동산 길이 험하여
석굴암에 들러 하룻밤을 묵는다.
뒤따라온 구름은 창 밖에 머물고
돌로 만든 감실에 부처님을 모셨다.
드나드는 속객은 보이지 않고
스님도 기껏 두서넛 뿐이네.
잠자려 하자 전갈(全蝎)이 괴롭히지만
선방 대담에는 아무 지장이 없다오.

雨中宿石窟(우중숙석굴)

風雨東山路(풍우동산로)

依投賴有庵(의투뢰유암)

隨人雲在戶(수인운재호)

藏佛石爲龕(장불석위감)

俗客無來往(속객무래왕)

居僧只兩三(거승지량삼)

欲眠還苦蝎(욕면환고갈)

不妨聽禪談(불방청선담)

『癡庵集』권1

해설

작가의 집은 보문에 있었다. 불국사에서 함월산을 넘어 골굴암과 기림사로 가는 길이다. 산길은 꼬불꼬불하고 비가 와서 더욱 위험하다. 그다지 바쁜 일도 없으니 석굴암에 들러 하룻밤 묵고 갈 수밖에 없다. 석굴암 법당 앞에 앉으니 뒤따라 온 구름이 절간 문 밖에 머무르며 감실 깊숙이 계신 부처님을 감싸고 있다. 스님이라야 고작 서너 명 뿐이고 세속 사람도 찾아오는 이 거의 없다. 그런데 승방에서 잠을 자려하니 독충 전갈이 나타나 길손을 몹시 괴롭힌다. 하지만 스님과 나눈 선담(禪談)이 워낙 맑아 혼연 자신을 잊었다. 전갈이 자신을 물어뜯는 것도 모른 채 말이다. 산사의 밤은 섬섬 깊어가고 있었다. 작가 남경희는 아버지 남용만(南龍萬)의 뜻을 받들어 경주시 암곡리에 지연정사(止淵精舍)를 건립하였는데, 영남 일원의 많은 문사들이 찾아와 시문을 남겼다.

20. 신라회고

영재(泠齋) 유득공(柳得恭, 1748~1807)

청산 곳곳마다 절집이 몇이었던가
황량한 안압지엔 기러기와 오리가 날지 않는구나.
봄바람이 산골짜기 송화옥에 불어오면
이따금 정적 깨고 꼬리 짧은 개 짖어댄다.

新羅懷古(신라회고)

幾處靑山幾佛幢(기처청산기불당)
荒池雁鴨不成雙(황지안압불성쌍)
春風谷口松花屋(춘풍곡구송화옥)
時聽寥寥短尾尨(시청요요단미방)

해설

서라벌의 청산은 가는 곳마다 신라 때 조성한 수많은 절집이 있었지만 허물어졌다. 문무왕 때 못을 파고 진귀한 나무를 심고 짐승을 길렀다는 월지에는 기러기 한 마리도 날아들지 않는다. 뿐만 아니라 신라 왕실 여인들이 봄이 오면 송화방에 모여 잔치를 베풀었다는 그곳에도 봄은 왔건만 인적은 찾아볼 수 없고, 다만 어디선가 꼬리 짧은 개 짖는 소리가 들릴 뿐이다. 『삼국유사』에 보이는 송화옥은 지금 김유신의 묘소 부근 금산재(金山齋) 자리로 알려지고 있다. 꼬리 짧은 개는 신라 토종개 단미구(短尾狗)다. 경주는 북쪽 방위가 텅 비었기 때문에 개 꼬리가 짧았다. 이 단미구가 마침내 '동경이'라는 이름으로, 2012년 11월 6일에 국가지정문화재 천연기념물 540호로 지정되었다. 이 시는 유득공의 '신라회고' 6수 중 두 번째다.

경주 황남동 고분(1914년)

21. 반월성에서

치암(癡庵) 남경희(南景羲, 1748~1812)

반월성 언저리에 가을 풀 우거지고
금오산 정상엔 저문 구름 흘러간다.
가련하구나, 천년의 나라 잃은 슬픔이
목동의 풀피리 곡조에 묻혀버렸네.

半月城(반월성)

半月城邊秋草多(반월성변추초다)

金鰲山上暮雲過(금오산상모운과)

可憐亡國千年恨(가련망국천년한)

盡入樵兒一曲歌(진입초아일곡가)

『癡庵集』 권1

조선시대 경주 지역 많은 문인들 사이에 널리 회자된 시 가운데 한 수다. 영고성쇠는 자연의 법칙이라 하지만 가을을 맞이하는 시인의 심사는 남다르다. 찬란했던 왕궁 터에 우거진 잡초 더미를 보고 시인은 깊은 상념에 잠겼다. 눈을 뜨니 손에 잡힐 듯 우뚝 솟은 금오산 위의 흰 구름은 무심히 흘러간다. 신라 천년 망국의 한이 가슴에 저민다. 본디 역사와 인간사는 이런 것일까? 어디 물을 곳도 없고 아는 이도 없다. 작가는 반월성 언저리에 서성거리고 있는데 어디서 풀피리 소리는 애절하게도 끊어질 듯 이어진다. 시공을 넘나드는 피리 한 곡조에 천년 역사의 한과 시름을 달래고 있다.

22. 옥적갑의 금장팔경

작자 미상

반월성 옆에 월영지 물 맑고
첨성대 밖에 새벽 종소리 더디다.
금문을 열려니 금추가 먼저 딸랑이자
어디서 선녀가 옥피리를 부는구나.

金粧八景(금장팔경)

半月城頭月映池(반월성두월영지)
瞻星臺外曉鍾遲(첨성대외효종지)
金門欲啓金槌動(금문욕계금추동)
正是仙娥弄玉時(정시선아롱옥시)

옥적 함의 금장팔경(국립경주박물관 소장)

해설

국립경주박물관에 소장되어 있는 옥적(玉笛)은 나무로 만든 목궤(木櫃)에 담겨져 있다. 이 작은 목궤를 옥갑(玉匣)이라 부르며 가로 59.3cm, 높이 11.2cm이다. 황금으로 만든 신종(神鍾) 고리가 달려 있고 고리 뒤에 '금종(金鐘)'이라 새겼다. 금종을 걷어 올리면 맨 위에 두성(斗星)이 있고 그 아래 경주 읍성을 그렸다. 그리고 '금장팔경(金粧八景)'이라 쓰고 칠절(七絶) 한 수를 써 두었는데 그 시가 위의 시다. 가운데 첨성대를 크게 그렸고 월지 등이 보이나 팔경은 모두 확인할 수 없다. 위의 시 3, 4구에서 금문(金門)을 열려고 하자 금추(金槌)가 먼저 움직이는데 바로 이 순간 선녀가 옥피리를 불고 나온다고 했다. 선녀의 청아한 옥적 소리가 팔경(八景), 곧 천지에 두루 울려 퍼짐을 그림으로 나타냈다. 목궤와 금장 그리고 시와 그림이 옥적을 장식하고 있다.

23. 객사에 걸린 시에 차운하다

갈산(葛山) 권종락(權宗洛, 1745~1819)

까마득 신라 천년 뒤
석양 무렵 객사에 찾아드니
찬란했던 문물은 연기처럼 사라졌고
텅 빈 성곽엔 속절없이 강물만 흐른다.
신종(神鍾) 소리는 고국을 원망하듯
옥적(玉笛) 가락에 사람들 슬피 운다.
해는 서산에 기우는데
오직 남은 건 첨성대뿐이구나.

敬次客舍板上韻(경차객사판상운)

羅王千載後(나왕천재후)

遊子夕陽來(유자석양래)

文物寒烟散(문물한연산)

宮城逝水回(궁성서수회)

鍾鳴故國怨(종명고국원)

笛動今人哀(적동금인애)

白日依山沒(백일의산몰)

瞻星但古臺(첨성단고대)

『葛山集』권1

해설

객사(客舍)는 경주 객사 동경관(東京館)을 말한다. 현재 경주경찰서 동편에 2/3 이상의 건물이 헐리고 일부만 남아 있다. 객사에는 관원이나 명사들이 유숙하고 일반인은 묵을 수 없다. 또한 임금의 전패(殿牌)와 궐패(闕牌)를 봉안하기 때문에 신성한 공간이요, 읍성 가장자리에 있으면서 동헌보다 규모가 크다. 동경관 정면에는 1882년(고종 19) 부윤 정현석(鄭顯奭)이 '동경관(東京館)'이라 쓴 편액이 걸려 있었고, 정청 안에는 임란 의사의 공적을 기린 동도벽상기(東都壁上記)와 문사들의 시를 판각하여 현액돼 있었다. 원운(原韻)은 누구의 시인지 알 수 없으나 위의 시제를 보면 판각된 어느 시를 읽고 차운하였다. 내용은 객사에 대한 시가 아니고 천년 고도의 속절없음을 노래하고 있다. 작가는 경주시 강동면 국당리 사람이다.

경주객사 동경관(1980년)

24. 포석정의 새벽 달

남애(南厓) 이두원(李斗遠, 1721~1782)

포석정에 술 취한 왕자님들
곡수(曲水)에는 술잔이 넘실넘실.
왕가 기운도 오늘 밤에 다하니
차가운 하늘에 새벽달이 처량하다.

鮑石晚月(포석만월)

石亭醉王子(석정취왕자)
曲水汎淸觴(곡수범청상)
覇氣今宵盡(패기금소진)
寒天曉月凉(한천효월량)

『南厓集』권1

포석정(1916년)

해설

경애왕 4년(927) 11월에 왕은 종실의 왕비와 후궁 및 가까운 신하를 데리고 포석정에 나가 놀았다. 곡수(曲水)에 술잔을 띄워 놓고 모두 거나하게 취했다. 흥겨운 노래와 춤사위에 흠뻑 젖어 견훤 무리의 말발굽 소리를 듣지 못했다. 신라 왕기(王氣)가 오늘 저녁으로 사실상 종언(終焉)하리라 아무도 몰랐다. 잠시 후 연도(輦道)에 먼지가 자욱이 일더니 폭풍우가 몰아쳤다. 아비규환이었다. 등불은 꺼지고 술잔은 땅에 떨어져 뒹굴었다. 금오산 자락에 운무가 뒤덮였고, 폐허로 변한 포석정의 밤은 유난히 길었다. 어느덧 차가운 밤하늘에 새벽달만 처량하게 기울고 있었다. 시인은 포석정에 얽힌 얘기를 스무 글자의 오절(五絶)로 간결하게 읊은 솜씨가 돋보인다. 작가 이두원이 지은 「동도십경(東都十景)」은 동도 회고시로 유명하다. 그가 후학을 지도하였던 남애서사(南厓書社)는 경주시 건천읍 송선리에 있다. 건물이 퇴락하여 2019년 10월에 중건하였다.

25. 옥문곡을 지나며

점필재(佔畢齋) 김종직(金宗直, 1431~1492)

이 얕은 골짜기에 어찌 적병이 숨었으랴

천년을 두고 부질없이 옥문(玉門)이란 이름 불렀네.

주민들 앞다퉈 선덕왕의 지기(知幾)를 말하며

부임하는 관원 더러 공연히 길을 돌아 가라하네.

過玉門谷(과옥문곡)

一名女根谷 事在三國史(일명여근곡 사재삼국사)

淺谷何能伏敵兵(천곡하능복적병)

玉門千載謾爲名(옥문천재만위명)

居民爭說知幾事(거민쟁설지기사)

空使元戎枉道行(공사원융왕도행)

(爲百濟主將死 後來將帥上任 皆忌之 不由此路)

『佔畢齋集』권2

점필재 김종직이 35세 때인 세조 11년(1465)의 일이다. 그는 영남병마평사(嶺南兵馬評事)라는 군무(軍務)의 직책을 띠고 경주로 가는데 영천을 출발하자 관속들이 가까운 아화와 건천 쪽으로 가지 않고, 고경으로 빠져 시티재를 넘어 사방으로 가는 길을 택했다. 이유를 물으니 영천에서 경주로 가는 길목에 여근곡이 있다는 것이다. 여근곡은 선덕여왕의 지기삼사(知幾三事) 가운데 하나로, 작은 조짐을 보고 전체의 일을 알아냈다는 고사다. 백제 군사들이 몰래 침입하여 옥문곡에 숨어 있다가 왕의 기지로 모든 장수와 군사가 전멸하였다. 이로써 장수들은 모두 여근곡 지나가기를 꺼렸고, 마침내 신임 관원은 물론 과거 보러 가는 선비들마저 이 길을 택하지 않는다고 했다. 점필재는 이 시에 주(註)를 붙여 부질없는 속설이라 하였다.

26. 상서장에서

정헌(定軒) 이종상(李鍾祥, 1799 - 1870)

당나라 군사 막부에 있을 때는 고국이 그리웠는데
아득히 바다를 건너 왔으나 다시 시름이 깊었다.
한번 가야산에 들어간 후 소식이 멀었으니
뜬구름과 저녁 햇살만 서둘러 고도에 흘러간다.

上書庄(상서장)

西遊高幕憶書庄(서유고막억서장)
漠漠東還意更長(막막동환의갱장)
一入伽倻消息遠(일입가야소식원)
浮雲落照古都忙(부운락조고도망)

『정헌집(定軒集)』권1

해설

열두 살에 당나라에 들어간 고운 최치원은 그곳에서 과거에 합격하고 황소의 난 때 고변 (高駢)의 막부에서 문명을 크게 떨쳤으나 잠시도 고국을 잊지 못하다가 스물여덟 살 때 꿈에 그리던 신라로 돌아왔다. 그러나 신라는 당나라와 마찬가지로 국운이 기울고 있었 다. 고운은 상서장(上書庄)에서「시무십여조(時務十餘條)」를 지어 진성여왕에게 올렸으나 기득권인 진골세력들의 반발로 인해 실현되지 못하였다. 최치원은 표연히 세속을 떠나 식솔을 데리고 가야산으로 들어가 소식을 끊고 말았다. 고려 중기까지 그가 살았던 상서 장 건물은 있었다. 최자(崔滋)가 지은『보한집(補閑集)』에, 오세재(吳世才)가 1187년경 경 주에 내려와 상서장에 머물렀다는 기록이 있다. 이후 건물은 허물어져 폐허가 되었다. 고 운이 머물다 간 자리엔 아무런 흔적이 없고 뜬구름과 저녁 햇살만 지나갈 뿐이다. 조선시 대 선비들이 남산을 오를 때 반드시 상서장에서 출발했는데, 그 이유는 고운의 숭고한 정 신을 되새긴 데서 비롯되었다. 이 글은 보문에 살았던 이종상의「태초암팔영(太初庵八詠)」 중 첫 번째 시다. 이종상이 죽은 8년 뒤인 1876년(고종 13)에 부윤 이돈상(李敦相)이 부임 하여 '문창후 최선생 상서장비(文昌侯崔先生上書莊碑)'를 세운 것이 지금 구조물 중 맨 먼 저 지어졌다.

27. 백률사에서

정지상(鄭知常, ?~1135)

이른 새벽에 작은 누각에서 일어나

주렴을 걷고 넓은 하늘을 바라본다.

누각 아래는 곧 계림의 산하(山河)

기괴한 것 모두 헤아릴 수 없구나.

고목엔 연기구름 아득히 덮여

동경 일만 호(戶)에 종횡으로 뻗었다.

흰 구름은 동산에 피어오르고

푸른 물은 서천으로 내달린다.

우뚝 솟은 황금빛 사찰은

마주보는 아침 햇살에 따사롭구나.

숲이 우거진 월성 한가운데

아! 이제 주인 없는 꽃과 대나무.

부질없는 옛 풍류는 아직 남아서

한 곡조에 가무가 드높구나.

고운 최치원을 회상하니

문장으로 중국을 뒤흔들었지.

열두 살에 가서 금의환향했지만

나이는 아직 스물아홉이 못 되었다.

흰 구슬에 쇠파리[1]가 점찍으니

---

1) 창승(蒼蠅)은 쇠파리로, 신라 말의 권간(權奸)을 말한다.

시속에 뜻 빼앗길 선비가 아니었지.

지금 남산 한쪽 기슭에

고운이 남긴 채소밭 한 뙈기 있다네.

아득히 먼 그의 9세손이

소년 때부터 군사들과 뒤섞였다.

그를 불러다 선비의 의관을 입히자

사람들이 현인(賢人)의 후예임을 알았다.

또한 설총(薛聰) 선생이 있는데

용과 호랑이처럼 재주가 뛰어나,

방언(方言)으로 오경을 강의하니

학자가 동로(東魯)[2]에 비견하였다.

세상에서 이를 두 군자로 호칭하여

명성이 이백(李白)과 두보(杜甫) 같다네.

시를 읊으며 맑은 바람에 다다르니

해묵은 병이 저절로 낫는 듯하구나.

돌아와 부처를 뵈오니

텅 빈 법당엔 향불 한 가락.

머리 조아리고 우리 임금 축원하여

만 년 동안 천복(天福)을 받으소서.

---

2) 중국에서 공자가 태어난 노(魯)나라가 동쪽에 있다는 말로, 유학자를 많이 배출한 고을로 지칭된다.

생각건대 부처의 묘명(妙明)한 거울이
나의 이러한 마음을 알고 있는지.
시험삼아 차를 민자천(閔子泉)으로 마시자
차 그릇엔 운유(雲乳)가 피어오르네.
세 번이나 수옹(壽翁)의 시를 읽으니
벽에 가득한 구슬을 토해낸 듯 맑구나.
즐겁구나! 근심할 바 없으니
이 어찌 태고의 즐거움이 아닌가.
해 가리개 이고 송문(松門)으로 내려오자
송문에는 정히 한낮의 해가 높구나.

栢栗寺(백률사)

晨興小樓頭(신흥소루두)   捲箔觀天宇(권박관천우)

樓下卽雞林(누하즉계림)   奇怪不可數(기괴불가수)

老樹烟濛濛(노수연몽몽)   橫斜一萬戶(횡사일만호)

白雲飛東山(백운비동산)   綠水走西浦(녹수주서포)

突兀黃金刹(돌올황금찰)   相望朝欲煦(상망조욕후)

有森月城中(유삼월성중)   花竹今無主(화죽금무주)

空餘古風流(공여고풍류)   一曲高聲舞(일곡고성무)

記憶崔儒仙(기억최유선)   文章動中土(문장동중토)

絲往錦還鄉(사왕금환향)   年未二十九(연미이십구)

白玉點蒼蠅(백옥점창승)   不爲時所取(불위시소취)

至今南山中(지금남산중)　　唯有一遺圃(유유일유포)

邈哉九世孫(막재구세손)　　結髮混卒伍(결발혼졸오)

喚來峨其冠(환래아기관)　　人識賢者後(인식현자후)

亦有薛先生(역유설선생)　　蔚然龍與虎(울연용여호)

方言講五經(방언강오경)　　學者比東魯(학자비동로)

俗呼二君子(속호인군자)　　齊名同李杜(제명동이두)

嘯詠臨淸風(소영임청풍)　　宿疾猶可愈(숙질유가유)

朅來謁金仙(걸래알금선)　　虛堂香日炷(허당향일주)

稽首祝吾君(계수축오군)　　萬年受天祐(만년수천우)

想像妙明鏡(상상묘명경)　　知予此心否(지여차심부)

試茶閔子泉(시다민자천)　　甌面發雲乳(구면발운유)

三復壽翁詩(삼복수옹시)　　滿壁珠璣吐(만벽주기토)

樂哉無所憂(낙재무소우)　　此樂何太古(차락하타고)

飛蓋下松門(비개하송문)　　松門日卓午(송문일탁오)

『東京雜記』권2

해설

작가 정지상이 백률사에서 하룻밤 묵고 새벽에 일어나 넓은 동도의 산천을 내려다보며 읊은 데서 시작하였다. 신라 때 기괴(奇怪)한 유적과 유물은 헤아릴 수 없이 많지만 모두 찾을 수 없고, 다만 1만 호의 민가가 자욱한 안개에 뒤덮여 있을 뿐이다. 예나 지금이나 흰 구름은 동산에 피어오르고, 푸른 물은 서천으로 내달린다. 우뚝 솟은 황금 빛 백률사는 주인을 잃은 월성과 마주 대하고 있다.

그리고 신라 때 최치원과 설총을 높이 평가하며 이들의 업적을 기렸다. 경주 사람들은 아직도 이들을 이백이나 두보의 이름에 견줄 만큼 높이고 있다. 마지막으로 백률산 누각에 올라 맑은 바람 앞에서 내려다보니, 해묵은 병이 깨끗이 나은 듯 기분이 좋았다. 법당 안으로 들어가 향을 사르고 나라의 평안을 빌었다. 그리고 물러나 차 한 잔을 마시며, 수옹(壽翁)의 시를 세 번이나 반복해서 읊으며 흥에 취하였다. 잠시나마 속세의 모든 시름을 잊고 태고의 즐거움을 누렸다. 마냥 이곳에 머무를 수 없었다. 솔밭 길을 따라 내려오니 해는 중천에 떠 있다고 하였다.

위 시의 수옹(壽翁)은 최해(崔瀣, 1287~1340)의 호라고 흔히 말하나 정지상의 생졸 연대와 맞지 않는다. 수옹의 시를 읊었다고 했지만 그가 누구인지 명확하지 않다. 밝히지 못한 말은 민자천(閔子泉)도 마찬가지다. 특히 주목할 말은 정지상이 경주에 와서 최치원의 9세손을 만났다는 사실이다. 그의 이름은 밝히지 않았다. 일반 사람들은 그가 최치원의 직계 후손임을 몰랐다. 그는 병사들 사이에 섞여 군역(軍役)을 지고 있었다. 정지상은 그를 불러 의관을 내려주고 군역을 면제시켜 주었으며, 명현 후손으로서의 신분적 특전을 누리게 하였다.

28. 사마소를 중건하고

동고(東皐) 이덕록(李德祿, 1677~1743)

계림 가장자리에 새로 정자 세우고
사마소란 이름이 몇 백 년 되었는가.
신라의 고적 누대는 곳곳에 남아있고
안개 덮인 숲나무가 차가운 물가를 감쌌네.
겨우 정자 이루자 백발된 것 싫지만
자주 모여 한담 나누니 눈빛은 더욱 반갑네.
날마다 버드나무와 소나무를 벗 삼으니
속세는 시끄러워도 마음이 맑아지누나.

司馬所新構(사마소신구)

古雞林畔刱新亭(고계림반창신정)
司馬所名幾百齡(사마소명기백령)
處處臺隍留古迹(처처대황류고적)
娟娟雲樹護寒汀(연연운수호한정)
纔營勝事頭嫌白(재영승사두혐백)
頻做閒談眼喜靑(빈주한담안희청)
問柳栽松爲日課(문류재송위일과)
十分塵慮九分醒(십분진려구분성)

『東皐遺稿』 권1

해설

사마소(司馬所)란 소과(小科) 곧 생원시와 진사시에 합격한 문사들이 모이는 장소다. 소과를 사마시라 한다. 조선시대 경주지역에서 사마시에 합격한 사람은 253명, 문과 급제자는 74명으로, 이들만이 출입할 수 있었던 곳이 사마소다. 당대 경주 최고의 명사들이 모인 공간이다. 임란 때 향교와 같이 전소되었던 사마소를 1741년(영조 17)에 진사 이덕록과 손경걸이 주간하여 중건하였다. 위의 시는 이덕록이 그때 남긴 글이다. 사마소를 달리 문정(汶亭) 또는 문양정(汶陽亭)이라 불렀다. 지금 '사마소(司馬所)'란 편액은 부윤 홍양호가 1762년(영조 38)에 쓴 글씨다. 월정교 북단에 있었던 사마소 건물을 1984년에 조금 서쪽인 현 위치로 옮겼다.

사마소 편액(부윤 홍양호 글씨, 1762년)

29. 고도남루에 올라서

용와(慵窩) 류승현(柳升鉉, 1680~1746)

날아갈 듯 기와지붕 흰빛이 짙은데
신라 고도의 문물은 아직도 찬란하구나.
천추의 감회에 젖어 시름하던 나그네가
술 취해 누각 오르자 해는 서산에 걸렸네.

登故都南樓有感(등고도남루유감)

翼瓦參差帛縷多(익와참치백루다)
故都民物尙繁華(고도민물상번화)
千秋感慨東南客(천추감개동남객)
醉後登樓日欲斜(취후등루일욕사)

『慵窩集』권1

해설

경주읍성에 동서남북으로 사대문(四大門)이 있었다. 동문은 향일문(向日門), 남문은 징례문(徵禮門), 서문은 망미문(望美門), 북문은 공진문(拱辰門)이다. 임진왜란 때 전화로 소실된 것을 1632년(인조 10)에 부윤 김식이 다시 짓고 사대문을 세운 것으로 기록되어 있다. 사대문 중 남대문인 징례문이 가장 크고 주위가 매우 번잡하였다. 징례문의 가운데 통로는 아치형 석조물이며 2층 누각이다. 누각 미액(楣額)에는 '고도남루(故都南樓)'란 대형 편액이 걸려 있었다. 따라서 징례문을 달리 고도남루라 일컬었다. 여기 오르면 경주읍성과 산야가 한 눈에 들어왔다. 징례문은 경주법원 앞 '문화의 거리' 입구에 있었는데 1912년 데라우치 총독이 차를 타고 성안으로 들어오기 위해서 이를 철거했다는 설이 있다. 현재는 아무런 흔적이 없고 사진 한 장이 남았을 뿐이다.

경주읍성 징례문(고도남루, 1909년)

30. 골굴암에서

감회(甘華) 이정익(李鼎益, 1753~1826)

세상에 기이한 것이 많이도 전하지만
막상 보게 되면 들을 때만 못하더라.
천년의 골굴암 부처가 이렇게도 장관인데
조화옹이 어쩌면 이 같이 정교하게 만들었을까.

骨窟吟(골굴음)

世上多傳世上奇(세상다전세상기)
見之不若聞之時(견지불약문지시)
千年石骨遊觀最(천년석골유관최)
造化何心巧斲爲(조화하심교착위)

『甘華集』권3

해설

조선시대 경주 선비들은 곧잘 사찰순례를 했다. 불심(佛心)이나 유심(儒心)은 결코 둘이 아니었다. 그들의 주요 코스는 불국사에서 석굴암을 보고 장항리를 통해 골굴암을 거쳐 기림사로 갔다. 기림사를 가기 위해

선 꼭 찾은 곳이 골굴암이다. 골굴암 마애여래좌상은 통일신라 때 조성한 것으로 암벽에 자연굴을 이용하여 만든 12개의 석굴 중 가장 높은 곳에 있다. 천년 세월에 비바람의 손상을 입긴 했으나 언제나 인자하며 근엄한 상호다. 너무나 우람하며 높기에 감히 범접할 수 없다. 세상에 기이한 것이 많다고 하지만 듣다가 막상 보면 실망하는 예가 많다. 그런데 골굴암 부처는 천하의 장관(壯觀)으로, 조물주의 어떤 마음으로 이 같이 온화하면서도 정교하게 만들 수 있었을까 하고 읊었다. 진사시에 합격한 이정익은 경주시 외동읍 원동 사람이다.

31. 봉황대의 저녁 종소리

화계(花溪) 유의건(柳宜健, 1687~1760)

저녁놀을 뚫은 천만근의 종소리
읍성 남문이 밤을 알리며 닫힌다.
휘영청 달 밝은 봉황대 아래 길은
바람결에 여음이 끊어질 듯 이어진다.

鳳臺暮鍾(봉대모종)

聲穿暮靄千萬重(성천모애천만중)
認是城南報夜鍾(인시성남보야종)
明月鳳凰臺下路(명월봉황대하로)
餘音嫋嫋遠隨風(여음요뇨원수풍)

『花溪集』권1

해설

성덕대왕신종(일명 신종이라 함)은 770년 12월(혜공왕 6)에 완성하여 봉덕사에 봉안했다. 북천 부근에 있었던 절이 홍수로 매몰되자 1460년(세조 6)에 영묘사로 옮겼다. 1506년 (중종 원년) 영묘사가 화재로 소실되기 직전에 다시 봉황대 아래로 옮겨 달았다. 1915년

8월에 구 경주박물관으로 이봉했다가 1975년 4월 국립경주박물관으로 옮겨 지금에 이른다. 신종은 밤중에 통행금지를 알리는 인정(人定) 때 28번, 해제를 알린 파루(罷漏) 땐 33번을 쳤다. 이 숫자는 28수(宿)와 33천(天)에 응한 것으로, 이를 어기면 종을 치는 종지기가 벌을 받았다. 성문을 여닫거나 군사의 징집을 알릴 때도 종을 쳤다. 신종이 봉황대 아래에 있었던 400여 년간 적어도 하루에 60회 이상 타종했다. 봉황대의 종소리가 들리면 월성아문 2층 누각에서 다시 북을 쳐서 성안의 사람에게 시간을 알렸다. 지금은 종을 보호한다는 명목으로 타종을 금하고 있어, 장중 청아하고 신비한 종소리는 들을 수 없어서 아쉽다.

32. 열박재에서

노봉(老峯) 김극기(金克己, 고려 명종 때 문신)

옥 같은 얼굴로 서둘러 세상을 떠난 뒤
허공 끝에 다만 높다란 봉우리만 보인다.
신녀(神女)의 비는 무산(巫山)에 걷히고
여인(麗人)의 바람은 낙천(洛川)에 끊겼도다.
운학무 추는 소매는 땅에 끌릴 듯하고
월투가 부르며 치켜 올린 부채는 하늘에 닿았지.
지나가는 나그네 너무나 마음이 아파
손수건 가득히 붉은 눈물 적시도다.

悦朴嶺(열박령)

玉貌催魂隔世(옥모최혼격세)
空端只見層巓(공단지견층전)
神女雨收巫峽(신녀우수무협)
麗人風斷洛川(여인풍단락천)
雲學舞衫曳地(운학무삼에지)
月偸歌扇當天(월투가선당천)
行客幾傷芳性(행객기상방성)
滿巾紅淚泫然(만건홍루현연)

『東京雜記』古蹟篇

해설

경주에서 남쪽으로 봉계를 지나 국도를 따라가면 경부고속도로와 교차하는 산고개 지점이 열박재 정상이다. 경주와 언양 간의 요새지며 임란 때 유명한 격전지다. 『신증동국 여지승람』에 전화앵의 묘는 열박재에 있다는 기록이 전부다. 전해오는 말에, 신라 말에 동도 기생 전화앵(囀花鸞)이 있었다. 모든 신료들이 고려로 떠나면서 그에게 같이 가자고 강권했다. 전화앵은 신라 유민(遺民)으로 남겠다며 끝내 거절하고 절의를 지키다 죽으니 경주 사람들이 그를 가엾게 생각하며 열박재에 묻었다고 한다. 전화앵은 나려의 어느 시대 인물인지 알 수 없다. 그렇지만 현재 그의 묘소는 울주군 두서면 활천리 산 57번지에 있다. 위 시에서 무산의 신녀(神女)는 송옥(宋玉)이 지은 「고당부(高唐賦)」에, 낙천의 여인(麗人)은 조식(曹植)이 「낙신부(洛神賦)」에 나오는 고사로, 미인을 찬미한 말이고 운학무와 월투가는 어떤 가무인지 모른다.

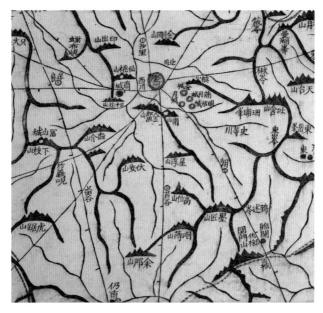

대동여지도(규장각 소장, 1861년)

☁33. 기림사 설초 스님에게

농수(農叟) 최천익(崔天翼, 1710~1779)

긴 눈썹의 노스님 안개 속에 앉았는데
객이 찾아왔건만 법화경만 외고 계시네.
달마가 서쪽에서 온 뜻이 무엇인가 물으니
빙그레 웃으며 뜰 앞 목련화를 가리킨다.

贈祇林寺雪初上人(증기림사설초상인)

庬眉雪衲坐烟霞(방미설납좌연하)
客至無言誦法華(객지무언송법화)
試問西來何意旨(시문서래하의지)
悠然笑指木蓮花(유연소지목련화)

『農叟稿』권1

해설

짙은 안개가 기림사 경내를 뒤덮고 있어서 사람들은 절집이 있는지조차 모른다. 어디서
경을 외는 소리가 천정(天淨)처럼 들린다. 가만히 다가가 보니 긴 눈썹으로 눈을 가린 스
님이 불전에서 독경하는데 삼매에 들었다. 선문(禪問)에 어찌 답이 있겠는가. 그렇지만
세속에 사는 사람답게 부처님의 가르침이 무엇이냐고 묻지 않을 수 없었다. 무엇을 생
각하는지 스님은 말이 없다. 말과 글로써 어찌 그 뜻을 나타내랴. 다향(茶香)이 승방에
가득하다. 스님은 이제야 비로소 뜰 앞에 목련화를 가리키며 웃으신다. 이러한 시를 선
시(禪詩)라 일컫는다. 작가 최천익은 흥해 사람으로, 아전의 아들로 태어났다. 그렇지만
워낙 문재가 뛰어나 신분의 한계를 뛰어넘어 진사시에 합격하였고, 당대 명사들과 교류
하였다.

34. 새해 아침에 정혜사 벽에
회재 선생이 쓴 글을 보고

뇌고(雷皐) 손여제(孫汝濟, 1651~1740)

설날 아침 홀로 앉아 오잠(五箴)을 읽으니
회재 선생 후학 일깨움이 참으로 깊었다.
새해엔 더욱 큰 뜻을 두고 공부하여
헛되이 놀며 세월 보내지 말아야지.

元朝在定慧寺見晦齋先生壁上手筆箴銘感吟

(원조재정혜사견회재선생벽상수필잠명감음)

獨坐元朝誦五箴(독좌원조송오잠)

先生當日啓蒙深(선생당일계몽심)

迎新益覺工夫大(영신익각공부대)

莫使優遊歲月侵(막사우유세월침)

『雷皐集』권1

해설

이 시의 제목은 '새해 아침에 정혜사에서 회재 선생이 벽상에 직접 쓴 잠언(箴言)과 명문(銘文)을 읽고 느낀 바 있어서 읊다(元朝在定慧寺見晦齋先生壁上手筆箴銘感吟)'이다. 회재는 1517년(중종 12) 설날 아침에 하늘을 경외하고(畏天), 마음을 수양하며(養心), 자신을 공경하고(敬身), 허물을 고치며(改過), 뜻을 도타이 할 것(篤志) 등 원조오잠(元朝五箴)을 지었다. 또한 1521년(중종 16)에 그는 도덕산 아래 정혜사에서 공부하면서 '바름으로 마음을 다스리고 곧음으로 기를 기른다(以正治心, 以直養氣)' 등 명문을 지어 벽에 써 붙였는데, 이 글이 정혜사 벽에 걸려 있었다. 시에서 손여제는 1737년(영조 13) 설날 아침 정혜사에서 회재의 이 같은 두 글을 읽으며 자신의 부진한 공부에 채찍을 더하였다. 1834년(순조 34)에 정혜사는 화재로 소실되어 13층 석탑만 남았으나 판각한 회재의 글씨는 옥산서원에 소장되어 있다.

35. 달도가

점필재(佔畢齋) 김종직(金宗直, 1431 · 1492)

서럽고도 서럽구나.

임금님도 하마터면 목숨을 잃을 뻔했네.

비단 장막 속에 거문고가 넘어지니

예쁜 왕비가 해로하기 어렵게 되었구나.

섧고도 섧도다.

신령이 알려주지 않았다면 어찌할 뻔했는가

신령이 알려주어서 나라 기반이 든든하였네.

怛忉歌(달도가)

怛怛復忉忉(달달부도도)

大家幾不保(대가기불보)

流蘇帳裏玄鶴倒(유소장리현학도)

揚且之皙難偕老(양차지석난해로)

忉怛忉怛(도달도달)

神物不告知奈何(신물불고지내하)

神物告兮基圖大(신물고혜기도대)

『佔畢齋集』권3

해설

488년에 신라 소지왕이 천천정(天泉亭)이란 정자에 나갔더니 한 노인이 못에서 나와 글을 올렸다. 봉투 겉면에 '뜯어보면 두 사람이 죽고 뜯어보지 않으면 한 사람이 죽는다'고 써 놓았다. 이상하여 왕이 뜯어보니, '거문고를 넣는 궤짝을 쏘라(射琴匣)'는 세 글자를 써 놓았다. 왕이 내전으로 들어가 궤짝을 향해 활을 쏘니 그 안에는 왕비와 내통한 중이 있었다. 이로써 두 사람 모두 죽임을 당했다. 『삼국유사』에 있는 글이다. 유소장(流蘇帳)은 비단으로 덮은 궤짝이고 현학(玄鶴)은 거문고이다. 양차지석(揚且之晳)은 『시경』에 나온 말로 미인을 지칭하는데 여기선 왕비이다. 신물(神物)은 못에서 나왔다는 노인, 곧 신이다. 점필재가 지은 「동도악부(東都樂府)」 7수 중 네 번째 나온 글이다. 글이 못에서 나왔다 해서 경주 동남산 서출지(書出池)의 고사다. 정월대보름에 이 사건이 일어났기 때문에 이 날은 모든 일을 조심해야 한다는 속설이 있다.

36. 금척

송국재(松菊齋) 이순상(李舜相, 1659~1729)

죽은 사람을 살리고 병든 사람을 낫게 했다면
신라 사람 모두 어찌 신선되지 않았는고.
지금 금척원에 무덤이라 의심된 것 많은데
속세의 일들은 아득하고 푸른 풀만 무성하구나.

金尺(금척)

回死能生病亦痊(회사능생병역전)
羅人胡不盡爲仙(나인호불진위선)
至今金院多疑塚(지금금원다의총)
影事茫茫綠草芊(영사망망록초천)

『松菊齋遺集』 권1

신라 어느 왕이 금 자(金尺) 하나를 가졌다. 그런데 죽은 사람이나 병든 사람에게 이 자를 가지고 재면 신기하게 다시 살아나고 병이 나았다. 나라에서 이를 보물로 간직했는데 중국 황제가 소문을 듣고 사신을 보내 이를 보고자 하였다. 신라 임금이 이를 주기 싫어서 30여 개의 무덤 같은 산을 조성하여 금척을 그 중 어느 곳에 숨겨버렸다. 그리고 원사를 지으니 곧 금척원(金尺院)이다. 『동경잡기』에 보인다. 시에서, 실제로 금척이 있어서 죽은 사람을 다시 살아나게 할 수 있었다면 신라 사람들은 모두 장생불사하여 신선이 되었을 것이라 하였나. 부질없는 낭설에 시나시 않는나는 말이다. 그러나 지금 금척원에 무덤 비슷한 것이 많은데 지난 일들은 알 수 없고, 다만 풀만이 무성하다고 노래하였다. 작가 이순상은 경주 중리(中里) 사람으로, 「객사중건기(客舍重建記)」등 중요한 글을 많이 남겼다.

37. 소나무 사이의 돌부처

시암(是庵) 임화세(任華世, 1675~1731)

돌로 움집을 만든 솔숲 속의 미륵불

처음에 신라왕들이 부처를 그렇게도 믿었건만.

결국 나라 기울 때는 힘을 못했으니

복전(福田)이란 과연 어찌된 말이런가.

題松間石佛(제송간석불)

松間彌勒石爲廬(송간미륵성위려)

自是羅王佞佛初(자시나왕녕불초)

畢竟敗亡無力救(필경패망무력구)

福田之說果何如(복전지설과하여)

『是庵集』권1

해설

경주 남산은 온통 불상과 석탑으로 뒤덮인 부처님의 세계다. 지금 남아 있는 석탑은 99기이고 불상은 130좌로 알려졌는데(남산연구소 김구석 소장 증언), 신라 때는 이보다 훨씬 더 많았을 것이다. 보란 듯 우람한 불상이 있는가 하면 몸을 숨기며 웅크리고 앉은 부처도 있다. 처음 불교가 전래되었을 때 신라왕들이 지나치게 부처를 맹신한 결과, 나라와 백성을 위한 일이라며 불사에 재물을 아끼지 않았다. 그렇다면 나라가 위태로울 때 응당 부처님의 원력이 있어야 옳았으나 아무런 영험이 없었다. 과연 공양한 만큼 복이 된다는 복전(福田)이 있는가 하고 시인은 되물었다. 임화세는 동남산 시출지 부근에 실았고, 문과에 급제한 후 예조좌랑 등을 역임했다. 그가 본 부처는 탑곡 부처바위나 부처골 감실여래좌상이었을 것이다.

38. 안압지에서

석전(石顚) 박한영(朴漢永, 1870~1948)

아득한 물가에 기러기 발자국 남겼듯이
이곳이 신라 번성기 안제(雁堤)였다네.
수많은 궁인들 모두 떠나버린 자리에
지금 아낙네가 조개를 줍고 있구나.

雁鴨池(안압지)

冥然鴻爪淹東西(명연홍조엄동서)
見說麗華古雁堤(견설려화고안제)
宮黛三千化烟碧(궁대삼천화연벽)
至今村婦拾方諸(지금촌부습방제)

『石顚文鈔』

송나라 소동파가 아우 소철에게 화답한 시가 있다. '인생길 이르는 곳 무엇과 비슷한가?
눈 내린 물가에 기러기 내려앉음과 흡사하다. 우연히 진흙 위에 발자국 남기지만 기러기
날아오른 뒤 어딜 간지 어찌 알랴(人生到處知何似 應似飛鴻踏雪泥 泥上偶然留指爪 鴻飛那復
計東西)'라고 읊었다. 이 시에서 설니홍조(雪泥鴻爪)란 성어가 생겨났다. 어찌 인생사뿐이
랴. 안압지는 신라 전성기 때 번화의 극치를 보여 주었던 궁궐이었다. 수많은 궁녀들의
가무와 음악 속에 의관의 긴 소매 자락이 높이 드날렸을 게다. 지금 인물은 간데없이 주
위에 살고 있는 아낙들이 못 바닥의 돌을 일구며 조개를 줍고 있다. 이 시의 '궁대(宮黛)'
는 궁녀이고, '방제(方諸)'는 조개다. 작자는 불교학자인 석전(石顚) 스님이다.

안압지(1920년대 후반)

39. 천관사에서

천관이란 절집 이름은 본디 사연이 있다 하더니
그 세운 유래 듣고선 슬픔 금할 수 없었네.
다정하신 공자는 꽃 숲에서 흠뻑 취했건만
아리따운 여인은 말 앞에서 흐느껴 운다.
말도 정이 들어서 다닌 길 갔을 뿐인데
종은 무슨 죄가 있어 부질없이 매질인가.
그대 남긴 그 노래 너무도 절묘하여
달밤을 함께 하며 만고에 전하련다.

天官寺(천관사)

寺號天官昔有緣(사호천관석유연)
忽聞經始一凄然(홀문경시일처연)
多情公子遊花下(다정공자유화하)
含怨佳人泣馬前(함원가인읍마전)
紅鬣有情還識路(홍렵유정환식로)
蒼頭何罪謾加鞭(창두하죄만가편)
惟餘一曲歌詞妙(유여일곡가사묘)
蟾兔同眠萬古傳(섬토동면만고전)

李仁老『破閑集』

해설

김유신과 천관녀의 얘기는 이미 잘 알려져 있다. 그 극적인 순간은 술에서 깬 김유신이 아끼던 말 목을 베는 장면이다. 말은 늘 다니던 길을 알고 갔을 뿐, 엊그제까지만 해도 그리했었다. 짐승이 무엇을 알랴. 죄가 있다면 주인의 마음을 헤아리지 못함이다. 말 안장을 버려둔 채 표연히 떠나는 김유신의 모습이 늠연하다 못해 처연하다. 한번 뒤돌아보지도 않았다. 골목에서 임의 뒷모습이 사라질 때까지 흐느껴 울면서 지켜봐야 했던 그녀는 어찌 원사(怨詞)가 없었으랴? 그 가사가 너무나도 애절하고 절묘했었다 하나 지금은 전하지 않는다. 그 뉘와 같이 달 밝은 밤에 이 노래를 맘껏 부르고 싶다고 작가는 읊었다. 홍렵(紅鬣)은 말이고, 창두(蒼頭)는 남자 종이며 섬토(蟾兔)는 달의 별칭이다. 신라 이후 악부에 천관녀의 가사는 줄곧 전해져 왔으나 현재는 알 수 없다. 작가 이공승은 고려 의종 때 강직한 신하로 유명하였다.

40. 매월당의 북향화를 보고

매호(梅湖) 손덕승(孫德升, 1659~1725)

그윽한 산골짜기 돌길은 구불구불
몇 칸 영당(影堂)에 안개가 뒤덮였다.
그때의 매월당 행적을 알고 싶으면
뜰 앞에 활짝 핀 북향화를 보시오.

吟梅月堂北向花(음매월당북향화)

靈洞深深石逕斜(영동심심석경사)
數間祠屋鎖烟霞(수간사옥쇄연하)
欲知岑老當年事(욕지잠로당년사)
看取庭前北向花(간취정전북향화)

『梅湖集』권1

남산 용장사지 매월당사로 오르는 길은 깊고도 험하다. 마침 오르니 짙은 안개가 사당을 뒤덮고 있었다. 당시 매월당의 충절을 알려면 사당 뜰 앞에 핀 북향화를 보라고 시에서 말했다. 여기서 '북(北)'은 강원도 영월이며, 단종이 귀양을 간 곳이다. 매월당은 단종을 위해 절의를 바친 충신이다. 그가 세상을 등지고 떠돌아다닌 것도, 승려의 신분이 되어 울분으로 통곡한 것도 모두 단종을 위한 충정이다. 그가 31세 때 경주 남산 용장사에 들어와 은거했을 때도 그 마음은 중류지석(中流砥石)이었다. 어느 날 매월당이 뜰 앞에 나무 한 그루를 심었는데, 나무가 꽃이 필 때 그의 정성에 감화하여 꽃봉우리가 모두 북향(北向)하고 있었다. 북향화는 매월당의 충정을 상징하는 꽃으로, 목련(木蓮)을 이른다. 용장사지와 기림사 매월당 영당에 목련을 심는 것도 의미가 있을 것이다.

41. 육의당에서

사서(沙西) 전식(全湜, 1562~1642)

작은 정자에 봄볕 짙은데
맑은 호수가 문 앞에 펼쳐졌다.
산간(山簡)의 일화를 내 이미 들었다만
이제 산간이 습지(習池)에 다시 온 듯하네.
속세 시름이랑 모두 떨쳐 버리니
이 즐거움을 어찌 삼공과 바꾸랴.
여기 오르자 무한 정취 자아내니
서산에 해가 쉬 저물까 두렵구나.

六宜堂(육의당)

亭敞春容媚(정창춘용미)

湖平鏡面開(호평경면개)

舊聞山簡逸(구문산간일)

今向習池廻(금향습지회)

萬慮都消去(만려도소거)

三公肯換來(삼공긍환래)

登臨無限意(등림무한의)

遲日恐先頹(지일공선퇴)

『사서집(沙西集)』권1

해설

임란 때 창의한 최계종(崔繼宗, 1570~1647)은 만년에 외동 제내리에 육의당을 짓고 은거하였다. 제내리의 옛 지명은 광자동(廣子洞)이다. 육의당의 '육의(六宜)'는 사계절과 조모(朝暮)의 여섯 가지에 적합하여 어느 계절, 어느 때에도 앞의 호수나 주위 산세가 정자와 잘 어울린다는 뜻이다. 옛적에는 정자에 앉으면 석호(石湖)가 훤히 보였다고 한다. 1631년(인조 9) 봄에 경주 부윤 전식(全湜)이 이곳을 찾았다. 그는, 옛날 진(晉)나라 때 산간(山簡)이 양양(襄陽) 태수로 있을 때, 그곳 호족인 습씨(習氏)의 고양지(高陽池)에서 늘 시주로 즐겼다는 고사가 있는데 자신은 산간이 습지에 온 듯하다 했다. 그리고 여기 있으면 세상 근심을 모두 잊으니 삼공(三公) 곧 삼정승과 바꾸지 않겠다고 노래하였다. 뒷날 전식의 아들 전극항, 경주부윤 정문익과 이원조 등이 와서 남긴 시를 판각하여 게시해 두었다. 위 시의 본 제목은 '진사 최동언 호정 시에 차운함(次崔上舍東彥湖亭韻)'이다.

42. 천룡사에서 읊다

몽암(蒙庵) 이채(李埰, 1616~1684)

천 년의 그윽한 옛 사찰 터에
4월의 아름다운 계절이구나.
멀리서 찾아 온 귀한 벗과 마주앉아
거나하게 술을 마시니 신선이로다.
속세의 걱정일랑 모두 씻어버리자
본디 여긴 복을 비는 데가 아니거늘.
밤 깊은 줄 모르고 정담 나누니
산 위에 뜬 달 뜰 앞에 가득하다.

天龍寺吟呈同遊諸君子(천룡사음정동유제군자)

古寺千年地(고사천년지)
佳辰四月天(가신사월천)
東南坐上美(동남좌상미)
賢聖飮中仙(현성음중선)
爲是消塵慮(위시소진려)
元非要福田(원비요복전)
窮歡忘夜久(궁환망야구)
山月滿庭前(산월만정전)

『蒙庵集』권3

해설

4월이 오면 천년 고도 어디인들 아름답지 않은 곳이 있으랴. 더구나 남산 고위산 중턱의 천룡사는 내남 신야(莘野)의 넓은 들녘이 훤히 내려다보이는 승지다. 동남의 벗들이 모두 모였는데, 몇 잔 술을 마시니 너나 할 것 없이 취한 신선이다. 오늘 이 자리에선 속세의 시름일랑 모두 벗어놓자, 또한 절집은 기복하는 곳이 아니지 아니한가. 밤 깊은 줄 모르고 정담을 나누다 보니 중천에 뜬 산달이 마당에 가득하였다. 옛 문사들은 만나면 시로써 수창(酬唱)하며 자신의 진솔한 심경을 곧잘 드러낸다. 조선시대 천룡사는 마을과 떨어져 있었기 때문에 돌림병이 돌 때 피역장소로도 이용되었다. 또한 1784년(정조 8)에 용산서원에서 천룡사 서암(西庵)을 사들여『정무공최선생실기』를 간행한 일도 있었다. 작가 이채는 경주시 강동면 안계리에서 태어났고 진사시에 합격했으며 몽암정(蒙庵亭)이 있다.

43. 불국사에서

우남(雩南) 이승만(李承晚, 1875~1965)

예 듣던 불국사를 오늘에야 올랐더니
지나간 온갖 역사 산들은 말이 없고
흐르는 물소리만 옛 소식을 전한다.
반월성 기슭에는 봄풀이 어울렸고
첨성대 아래는 들꽃이 피었구나.
오늘은 전쟁마저 끝나고 군사들도 쉬는데.

佛國寺(불국사)

少小飽聞佛國名(소소포문불국명)

登臨此日不勝情(등림차일불승정)

青山無語前朝事(청산무어전조사)

流水猶傳故國聲(유수유전고국성)

半月城邊春草合(반월성변춘초합)

瞻星臺下野花明(첨성대하야화명)

至今四海風塵定(지금사해풍진정)

古壘松陰臥戍兵(고루송음와수병)

『雩南詩選』

해설

이승만 전 대통령의 한시집인 『우남시선(雩南詩選)』이 있다. 1959년에 공보실(公報室)에서 우남의 한시 31수를 국역하여 출간했는데, 위의 시는 국역한 글을 그대로 옮겼다. 우남이 경주에 와서 남긴 시는 불국사 시가 유일하며, 경주 사람들이 즐겨 애송한 시 가운데 한 편이다. 우남이 경주에 언제 왔는지는 정확하게 알 수 없으나 이 시를 보면 그가 조금 여유가 있을 때 지은 것으로 보인다. 더구나 미련(尾聯)에서, 지금 전쟁이 끝나고 나라가 안정되니, 막사의 군사들이 솔 그늘에 한가롭게 누워 태평을 구가한다는 글귀가 자못 이채롭다. 6.25전쟁이 끝난 뒤 지었을 것이다. 우남은 과거에 응시한 경험이 있으며 한시에 능했던 것으로 알려지고 있다.

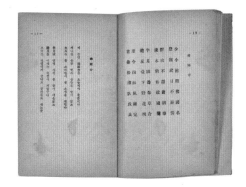

44. 팔우정에서

방의재(防意齋) 이운붕(李運鵬, 1711~1779)

고목에 새 가지 돋고 가지에 새 잎 나니
늙은 나뭇가지에 번성하고 잎 새롭구나.
저 가지마다 여음(餘蔭)을 보시게나
무성한 가지에 칡덩굴도 푸르구나.

八友亭(팔우정)

枝生老樹葉生枝(지생로수엽생지)
樹老枝蕃葉更奇(수로지번엽갱기)
須看枝枝餘蔭在(수간지지여음재)
元來樛木葛縈之(원래규목갈영지)

『防意齋遺稿』권1

해설

임란 전후 경주의 큰 부자 육의당(六宜堂) 최계종(崔繼宗, 1570~1647)은 황오동에 대저택을 소유하고 살았다. 1614년(광해군 6)에 그는 무슨 생각에선지 집 주위에 여덟 그루의 회화나무를 심었다. 그는 세 아들을 낳았고, 큰아들 동로(東老)는 다시 국준 등 아들 여덟 명을 낳았다. 신기하게도 육의당의 손자는 그가 심은 나무 수와 일치하였다. 일설에서는 동로의 아내 이씨가 아들 한 명을 낳을 때마다 회화나무 한 그루씩 심었다고 한다. 이들 팔형제가 우애(友愛)를 두터이 했다는 의미에서 뒷날 팔우정(八友亭)이라 하였다. 헌데 근 2백 년이 흘렀지만 고목에 새 가지와 잎이 돋아나고 서로 뒤넓어 더욱 푸르렀다. 이는 모두 자손의 번성함과 훌륭함을 일컫는 말인데, 선조가 끼친 공덕에 바탕을 두었다는 것이다. 결구의 글은 『시경』 국풍에 있다. 지금 회화나무는 간 데 없고 단비(短碑)만 역사의 현장을 지키고 있다.

45. 수재정에서

한주(寒洲) 이진상(李震相, 1818~1886)

골짜기 숲을 지나자 홀연 정자 우뚝한데
쌍봉 어른의 기획은 본디 하늘이 이뤘지.
화병암에 구름 덮이자 옛 자취 그대로고
서대초에 바람 일렁이니 그 이름 알겠구나.
빼어난 봉우리들 둘러쳐 도학 기운이 서렸고
맑은 계곡의 물소리에 시정이 마구 솟아난다.
자옥산 절반은 하곡이 차지하니
동남 승지는 이곳을 으뜸이라 하지요.

水哉亭(在慶州) 次重修韻

谷口林穿忽數楹(곡구림천홀수영)

雙翁家計本天成(쌍옹가계본천성)

畫屛雲罨巖留躅(화병운엄암류촉)

書帶風翻草識名(서대풍번초식명)

環拱秀巒蒸道氣(환공수만증도기)

琮琤鳴澗挬詩情(종쟁명간양시정)

玉山一半霞溪占(옥산일반하계점)

勝地東南此主盟(승지동남차주맹)

『寒洲集』권1

해설

쌍봉(雙峯) 정극후(鄭克後, 1577~1658)가 1643년(인종 21)에 유림의 추천을 받아 대군(효종) 사부(師傅)에 제수되었다. 포의(布衣)의 선비로서 최대 영광을 입었다. 만년에 그는 안강 하곡(霞谷)에 작은 정자 수재정(水哉亭)을 지어 은거하며 이학(理學)에 침잠하였다. 하곡 골짜기는 성주산과 자옥산 사이가 가장 좁혀진 계곡으로, 수목이 짙고 청석 암반에 구슬을 굴리듯 맑은 물이 흐른다. 병풍바위〔畵屛巖〕에 구름 덮이자 선인들의 자취를 대하는 듯하고, 서대초(書帶草)에 바람이 일자 그 이름 알겠다고 읊조렸다. 서대초는 다년생 방초(芳草)다. 자옥산 동쪽에는 계정(溪亭), 서쪽에는 수재정이 있다. 모두 정자로서의 승지(勝地)로 꼽히고 있으며, 선비들의 삶과 사상이 무엇인지를 가늠할 수 있다.

46. 반월성에서 술에 취해 거닐다

화계(花溪) 유의긴(柳宜健, 1687~1760)

석 잔 술에 크게 취하여
비틀비틀 반월성을 거닐다.
신라 천년의 한을 삼키니
눈에 보이는 건 돋아난 봄풀뿐이네.

自城中醉歸汶上(자성중취귀문상)

大醉三盃酒(대취삼배주)

行過半月城(행과반월성)

千年故國恨(천년고국한)

滿眼春草生(만안춘초생)

『花溪集』권1

해설

거나하게 취해 문천을 따라 반월성 기슭을 거닌다. 비틀비틀 그리고 절뚝절뚝 걷는다. 석양에 길게 드리운 자신의 그림자는 볼수록 가관이다. 번창했던 고국의 성세(盛世)는 한바탕 꿈이었던가. 온통 깨어진 기와 조각과 초석만 나뒹군다. 어디에 가면 왕손을 만나고 궁인들을 찾아볼까? 망국의 후예로서 통한으로 저민 가슴은 한이 없다. 영겁의 세월 속 무성하게 자란 봄풀이 얄밉다. '봄풀은 해마다 돋아나건만 떠난 왕손은 다시 돌아오지 않는구나(春草年年綠 王孫歸不歸)'의 옛 시구가 생각난다. 신라 회고의 시는 많이 전하지만, 그 중에 오절(五絶)로써 이 같은 시를 엮어낸 작가

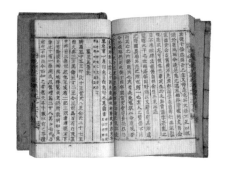

의 솜씨는 가히 기절(奇絶)하다고 평할 만하다. 이러한 글이 한시다.

한시를 지을 때 운(韻)을 따진다. 중국어의 성조와 같이 음의 높낮이다. 운은 크게 평성(平聲)과 측성(仄聲)으로 나누며, 높낮이의 변화가 없고 있는가에 따라 구분된다. 측성은 다시 상성(上聲), 거성(去聲), 입성(入聲)으로 나뉜다. 한시는 일정한 규칙에 따라 평측이 적절하게 배열되어야 한다. 또한 평성에서 운자를 많이 사용하였다.

47. 경주회고

진일재(眞逸齋) 성간(成侃, 1427~1456)

민가의 절반은 절집인데
한 조각 석양에 시름이 짙구나.
아! 금잔 나온 왕릉 그 몇 기던가
들꽃과 지저귀는 새는 당년의 헌사스러움이네.

慶州懷古(경주회고)

閭閻半是梵王家(여염반시범왕가)
一片斜陽古意多(일편석양고의다)
幾處諸陵金盌出(기처제릉금완출)
野花啼鳥自年華(야화제조자년화)

『眞逸遺稿』권1

해설

회고시는 주로 첨성대나 만파식적과 같이 한 가지를 시제로 삼아 읊는 경우가 많지만 신라 문물의 전체를 두고 노래한 것도 상당히 많은데, 이를 '신라회고', '계림회고', '동도회고', '경주회고'라 한다. 이 시는 진일재 정간의 '경주회고팔수(慶州懷古八首)' 가운데 두 번째다. 여덟 수 모두 같은 운자를 써서 지었지만 경주 문사들은 이 시를 즐겨 읽었다. 신라때 워낙 불교를 숭상했기 때문에 아직도 경주 민가의 절반은 절집이다. 서산에 기운 석양이 지난 역사를 생각하게 한다. 또한 읍내 여기저기 구릉처럼 솟은 왕릉에 얼마나 많은 황금 왕관과 술잔 등이 출토되었던가. 인간의 흥망성쇠를 알 턱이 없는 화조(花鳥)는 예처럼 아름다움을 자아내고 있다. 작가 성간은 문과에 급제하여 집현전에 들어가 공부했으나 서른 살에 죽었다.

경주 교촌 일대(1914년)

48. 빙허루에서 읊다

시암(是庵) 임하세(任華世, 1675~1731)

고국 월성의 남쪽 산기슭은
아름다운 비경 얼마나 숨어있나.
바람이 불면 새들은 물결 따라 오고 가며
비 개인 바위 꽃은 형형색색 아롱졌다.
사물이 때를 만나 진정 즐거워하며
깊은 정회는 닿는 곳마다 한적함을 쫓는다.
이곳에 아름다운 광채를 더하려 해도
그대 지은 뛰어난 시구 내 어찌 미치리오.

憑虛樓次靑軒柳相公命天韻(빙허루차청헌유상공명천운)

故國城南一片山(고국성남일편산)

別區林壑幾天慳(별구림학기천간)

風吹波鳥飛飛去(풍취파조비비거)

雨霽巖花色色斑(우제암화색색반)

景物得時眞所餉(경물득시진소향)

幽懷隨處任其閒(유회수처임기한)

能令此地增光彩(능령차지증광채)

逸韻驚人不可攀(일운경인불가반)

『是庵集』권2

해설

서출지에 백일홍이 피고 연꽃이 솟아오르면 그 풍광이야말로 한 폭의 그림이다. 더구나 수면에 떠 있는 정자는 호산(湖山)의 극치이다. 갑진년(1664, 현종 4)에 큰 가뭄이 들었다. 임적(任勣)이 서출지 서쪽에 용천을 뚫어 많은 주민들에게 혜택을 주었고, 이때 정자를 지었다. 정자 이

빙허루

름은 『논어』에 나오는 요산요수(樂山樂水)의 뜻으로 '이요당(二樂堂)'이라 하고, 날리 소동파 「전적벽부」의 '빙허어풍(憑虛御風)'의 말을 취해 빙허루(憑虛樓)라고도 한다. 판서를 역임한 청헌(靑軒) 유명천(柳命天)이 이곳 빙허루에 올라 시를 지으니, 임적의 손자이고 문과에 급제한 뒤 예조정랑 등을 벼슬한 임화세가 청헌의 시에 차운한 것이 위의 시다. 미련(尾聯)에, 빙허루에 광채를 더하려 아름다운 시구를 남기고 싶다. 하지만 아무리 명구를 지어도 이곳의 풍광에는 도저히 미칠 수 없다고 말을 남겼다. 시의 원제목은 '빙허루에서 청헌 유명천 상공의 시에 차운하다'(憑虛樓次靑軒柳相公命天韻)이다.

시암 임화세 문집

49. 이견대에 거닐다

명암(銘巖) 척남도(崔南圖, 1674~1732)

청산이 바다를 향하여 뻗었는데
그 가운데 높이 솟은 이견대.
감은사와 대왕암 천고의 옛 자취에
저녁노을 속 어부들의 피리소리 서럽구나.

遊利見臺(유이견대)

青山對峙海門開(청산대치해문개)
中有崔嵬利見臺(중유최외이견대)
恩寺王巖千古迹(은사왕암천고적)
夕陽漁篴數聲哀(석양어적수성애)

『銘巖集』권1

해설

동해구 대왕암을 마주보고 있는 이견대 자리는 잘못 비정되었다고 곧잘 말한다. 지금 이
견대 뒤에서 북쪽으로 도로 넘어 뻗어 내린 산줄기 정상이 원래의 자리라고 한다. 이곳에
올라 내려다보면 대왕암을 비롯하여 시계가 탁 트인 일망무제(一望無際)의 승지다. 위 시
에서 '최외(崔嵬)'는 우뚝 솟은 산을 말하는데, 이를 통해 보면 예로부터 지금의 자리는 아
닌 듯하다. 청산이 바다를 보고 내달리다 높이 솟은 정점에 이견대가 있었다. 이는 감은
사와 대왕암과 더불어 신라 때 호국의 전설이 담긴 사적이지만 지금은 찾는 이가 드물다.
다만 석양 무렵 어부들의 노래와 죽적(竹笛) 소리만 구슬프게 애를 끊는다. 작가 최남도
는 경주시 시래동에 살았으며 과거운은 없었지만 문장으로 이름이 높았다. 우암 남구명,
화계 유의건 등과 교유하던 당대 경주의 뛰어난 문사(文士)로 꼽힌다.

50. 문정에서 다시 읊다

석산(石山) 한문건(韓文健, 1765~1850)

밤기운은 물보다 맑고

개울 소리는 가을처럼 서늘하다.

목욕하니 흰 해오라기 마음이고

흥에 겨우니 물고기와 노닌다.

아름다운 경치를 대하니 백발이 부끄럽고

평화스러운 세상에 나라 걱정 부질없네.

이 마음 뉘와 더불어 말할꼬

벗들과 세 번이나 시를 읊는다오.

到汶亭更唱(도문정갱창)

夜氣淸於水(야기청어수)

溪聲冷似秋(계성냉사추)

浴盤知鷺性(욕반지로성)

乘浪見魚頭(승랑견어두)

勝景羞霜髮(승경수상발)

明時有漆憂(명시유칠우)

此心誰與說(차심수여설)

三唱和朋儔(삼창화붕주)

『石山集』권1

해설

문정(汶亭)은 달리 문양정(汶陽亭)이라 한다. 문천 북쪽에 있다고 해서 붙여진 이름으로, 곧 사마소를 말한다. 이곳엔 소과에 합격하거나 대과에 급제한 인원만 모여 유식(遊息)하였던 공간이다. 지금 월정교 북단에 있었던 문정은 동북으로 반월성과 계림이 둘러싸고 있고, 앞에 문천이 흐른다. 백로(白鷺)가 이따금 날아와 앉고 난간 아래 유어(遊魚)를 보는 즐거움이 있다. 속세의 시끄러움 없이 자연과 벗한다는 말이다. 이 시의 '칠우(漆憂)'는 칠실지우(漆室之憂)의 고사로, 나라가 위태로울까 부질없이 걱정함을 이른다. 작가 한문건은 금척에서 태어났으며 진사시에 합격하였다. 경주의 대표직 노론계 인물로, 인산서원을 중심으로 각종 향의에 깊숙이 관여하였다.

경주 사마소(1984년)

51. 단석산에서 김유신의 옛 일을 생각하며

근암(近庵) 최옥(崔鋈, 1762~1840)

뾰족하게 솟은 수많은 봉우리는 장졸들의 모습인데
어디서 영웅의 풍모가 으슥하게 귓전에 들리는 듯하다.
산하의 웅장한 기는 무지개 피워내고
두우 별빛이 서로 다퉈 돌이 저절로 깨어졌다.
십 년간 신검을 연마하자 바위에 동굴이 생겼고
삼한을 통합하니 온 나라가 평온을 되찾았다.
한나라 위청 및 곽거병과 동시대에 살았다면
진작 기린각과 운대에 그 공적이 올랐을걸.

斷石庵憶角干故事(단석암억각간고사)

矗立千峯象一軍(촉립천봉상일군)
英風颯颯使人聞(영풍삽삽사인문)
山河氣壯虹長吐(산하기장홍장토)
斗牛光爭石自分(두우광쟁석자분)
磨十年時巖有窟(마십년시암유굴)
統三韓後海無氛(통삼한후해무분)
倘令衛霍生並世(당령위곽생병세)
麟閣雲臺不讓勳(인각운대불양훈)

『近庵集』권1

단석산 신선사 마애불

해설

근암 최옥은 수운 최재우 선생의 아버지다. 문재가 있어서 글을 잘 지었으나 과거시험에는 운이 없었다. 그가 김유신 장군이 십 년간 무술을 연마했다는 단석암을 찾았다. 지금 단석산 신선사일 것이다. 주위 산세는 창검마냥 날카로워 어디서 장군의 늠연한 모습과 군사들이 나타난 듯하다. 산하 정기를 타고 태어난 그의 기상은 무지개를 뿜어낸 듯하며 북두성과 견우성이 빛을 다퉈 바위가 갈라졌을 정도였다. 장군이 전한 선제 때 유명한 장수 위청(衛靑) 곽거병(霍去病)과 동시대에 활약했다면 기린각(麒麟閣)에 초상화가 걸렸을 것이라고 하였다. 운대(雲臺) 역시 후한 명제 때 공신(功臣)들을 높여 길이 후세에 전하려고 세운 전각 이름이다.

52. 양산 나정에서

용와(慵窩) 이홍리(李弘离, 1701~1778)

고기가 교룡으로 거듭나고 사슴이 기린으로 변해
나정의 아름다운 정기가 진인(眞人)에 응집되었다.
나라 사람들이 이로써 임금으로 모시니
천리의 강산이 한결같이 추앙하며 받들었네.

楊山蘿井(양산나정)

魚異蛟生鹿異麟(어이교생록이린)
楊泉佳氣鍾眞人(양천가기종진인)
天東從此君師立(천동종차군사립)
千里河山拱一辰(천리하산공일진)

『慵窩集』권1

해설

이 시는 이홍리의 「동도잡영(東都雜詠)」 27수 시 가운데 한 편이다. 신라 시조왕 박혁거세의 탄생은 『삼국사기』와 『삼국유사』 모두에 실려 있으나 후자가 더 자세하게 기록되어 있다. 나정 가에서 태어난 아이를 동천에 가서 목욕을 시키자 몸에서 광채가 났다. 뿐만 아니라 새와 짐승이 춤을 추며 따라오고 천지가 진동하며 일월이 청명하였다. 이로써 이름을 혁거세(赫居世)라 지었다. 육부 촌장은 그가 신이하게 탄생하였다 해서 임금으로 세우니, 온 나라 사람들이 마치 '모든 별들이 북두성을 향해 받들고 있듯 높였다'고 했다. 이 시결구의 '공진(拱辰)'은 『논어』에 보인다. 첫 구절은 혁거세의 단강설화를 형상화한 것이다. 한편 2002년에 나정을 발굴하니, 팔각형 건물지가 발견되었다. 한가운데 네모난 돌판이 있어서 우물 뚜껑으로 보았는데 그 밑에 우물 대신 타원형 구덩이가 확인되었다. 이 건물지 아래에 더 오래된 시설물 흔적이 드러났다. 귀면와 등 1,400여 점 유물이 나왔다. 이곳이 나정인지 시조왕의 제사를 지내는 신궁 터인지 아직 결론을 내리지 못하고, 신라 건국신화의 공간을 파괴한 채 방치되어 있다.

나정(1920년대 후반)

53. 계림 부윤에게 시를 주다

원재(圓齋) 정추(鄭樞, 1333~1382)

계림은 옛날 신라로서
성곽과 궁궐은 아직도 완연하다.
혁거세와 석탈해는
신이한 사적이라 전해온다.
임금은 오십여 대를 전승하였고
의관(衣冠)은 천 년을 이어졌다.
영웅은 바닷물만큼 많았고
문물은 풀잎처럼 풍성했었지.
한 잔 술에 거나하게 취해
옛 강산을 마주 대한다.
개연히 당시를 그려보니
가구(佳句)는 최 고운이 으뜸이었지.

寄呈雞林尹(기정계림윤)

雞林古侯國(계림고후국) 城闕尙依然(성궐상의연)

赫居與脫解(혁거여탈해) 異事人相傳(이사인상전)

宮省五十世(궁성오십세) 衣冠一千年(의관일천년)

英雄水朝海(영웅조수해) 文物草連天(문물초연천)

遙知一尊酒(요지일순주) 相對好山川(상대호산천)

慨然懷古處(개연회고처) 佳句壓儒仙(가구압선유)

『圓齋文稿』권中

해설

경주 사람들은 최치원을 유선(儒仙)이라 부른다고 소주에 밝혀 두었다. 이 시의 시형은 배율(排律)이며, 압운은 선(先) 자다. 『동경잡기』등 경주 지리서에 신라시대의 유적을 읊은 제영(題詠) 시가 많이 실려 전하는데, 정추의 이 시는 '궁성(宮省)'에서 '연천(連天)'까지 오절(五絶) 형식을 취해 실었고 전편을 다루지 않았다. 오절만으로 후세 사람들에게 많이 회자되었다. 고려 중기 이후 경주는 동경유수관이 다스리다가 1308년에 계림부로 고쳐 부윤이라 불렀고, 1413년에 다시 경주부로 바꿨다.

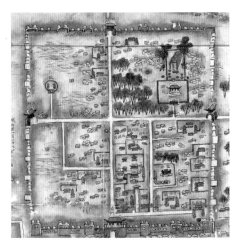

경주읍내전도(1798년)

54. 일승각 낙성을 축하하며

사류재(四留齋) 이규일(李圭日, 1826~1904)

예스런 고도의 동헌을 새로 낙성하니
붉은 난간 화려한 기둥에 광택이 돋는다.
만 팔천여 가호는 읍성을 감싸 안았고
삼남 제일의 웅부(雄府)로서 긍지가 높구나.
한낮 학사에서 시 짓느라 분주하고
국화 시절 잔치 술에 모두 취하였다.
잘 다스림은 관아의 화려함에 있지 않으니
부윤께서는 항상 백성을 사랑해 주십시오.

次一勝閣重建落成韻(차일승각낙성운)

依舊東都視事堂 (의구동도시사당)

朱欄畵棟更生光 (주란화동갱생광)

廻臨萬八千餘戶 (회림팔만천여호)

雄壓三南第一鄕 (웅압삼한제일향)

槐市日中開戰藝 (괴시일중개전예)

菊花時節宴酣觴 (국화시절연감상)

爲治不在官衙勝 (이치부재관아승)

但願明侯遺愛長 (단원명후유애장)

『四留齋集』권1

해설

지방 수령이 집무하던 곳을 동헌(東軒)이라 하며 지방마다 그 명칭을 달리 불렀다. 경주
는 제승정(制勝亭)이라 줄곧 불러오다가 1884년(고종 21)에 부윤 김원성(金元性)이 이를 중
건한 후 일승각(一勝閣)이라 이름을 바꿨다. 그해 가을에 낙성한 뒤 많은 문사들이 모인
가운데 성대한 잔치가 베풀어졌을 때의 시다. 인구 추이를 보면, 신라 전성기 때 서울은
1,360방(坊)이고, 호수(戶數)는 178,936호다. 『동경잡기』(1669)에 경주 호수는 16,244호이
고, 인구는 54,956명이다. 『영남읍지』(1871)에는 18,141호에 인구는 71,943명이다. 1928
년에는 30,812호이고 인구는 162,944명이었다. 1934년에 일승각은 청사를 새로 짓는다
며 옛 건물을 경매 처분하였다. 이때 '장기부자' 정두용(鄭斗鎔)이 낙찰을 받아 기림사 포
교당이란 이름으로 옮겨 세운 것이 지금의 법장사 대웅전 건물이다.

경주 동헌 일승각(1920년대 후반)

55. 처용무를 보고

익재(益齋) 이제현(李齊賢, 1287~1367)

옛날 신라의 처용은
푸른 바다를 건너왔다고 하네.
하얀 이빨 붉은 입술로 달이 지도록 노래하고
솔개 어깨 자색 소매로 봄바람에 덩실 춤을 춘다.

處容(처용)

新羅昔日處容翁(신라석일처용옹)
見說來從碧海中(견설래종벽해중)
貝齒頳脣歌月夕(패치정순가월석)
鳶肩紫袖舞春風(연견자수무춘풍)

『益齋亂藁』권4, 小樂府

해설

『삼국유사』 권2 처용랑조의 이야기다. 헌강왕이 개운포에 행차하였다가 환궁하려 할 때
갑자기 햇빛이 어두워졌다. 왕이 놀라 좌우에 물으니, 용의 조화라 하며 절을 지어 줄 것
을 아뢰었다. 왕이 허락하자, 날씨는 홀연 개었다. 이때 동해용이 수레 앞에 나타나 춤추
고 노래를 불렀으며, 그의 한 아들이 왕을 따라 서울로 들어왔는데 이름이 처용(處容)이
다. 왕은 그를 후대하며 아름다운 여자로 아내를 정해주었다. 처용의 아내가 무척 아름
다웠기 때문에 역신(疫神)이 그의 아내를 흠모하여 남몰래 동침했다. 어느 날 처용이 집
으로 돌아와 이 광경을 보고 '동경 달 밝은 밤에 밤늦도록…'라는 이른바 처용가를 부르
고 춤을 추면서 밖으로 나왔다. 역신이 그의 행동에 크게 감동하여 그대 모습이 있는 문
에는 맹세코 들어가지 않겠다고 물러났다. 이로써 나라 사람들이 처용상을 문에 붙여 벽
사진경(辟邪進慶)의 부적으로 삼았다. 신라 이후 민간에 처용가면극이 널리 유행하였다.
위 시는 처용극을 보고 읊은 것으로, 본디 우리말로 불렸으나 작자가 다시 한문으로 번역
〔漢譯〕한 시다. 이제현은 경주에 내려 왔다는 기록은 없지만 이 시를 보면 그가 경주에 왔
음을 알 수 있다고 후세 사람들은 곧잘 말한다. 진사인 감화(甘華) 이정익(李鼎益, 1753~
1826)이 지은 「처용무(處容舞)」도 전한다.

56. 옥적 소리를 듣고

죽재(竹齋) 윤인함(尹仁涵, 1531~1597)

임란 때 불타버린 동도엔 텅 빈 봉황대뿐인데
참담한 슬픈 바람이 내 얼굴에 스쳐간다.
옛 유물은 간데없고 옥적만이 있어서
달빛 아래 불어 본 한 곡조 더더욱 애절하구나.

次金命元鳳凰臺 聞笛有感作韻(차김명원봉황대문적유감작운)

東都燒後只空臺(동도소후지공대)
慘悵悲風拂面來(참담비풍불면래)
舊物無餘惟玉笛(구물무여유옥적)
一聲吹月更添哀(일성취월갱첨애)

『竹齋遺稿』권1

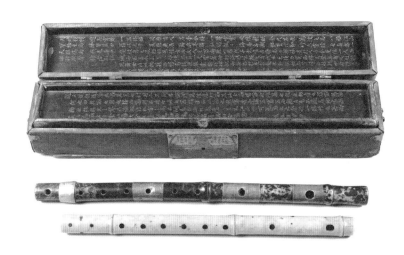

옥적과 옥적함(국립경주박물관 소장)

해설

1592년 임란 때 일이다. 4월 14일에 동래성이, 21일에 경주가 함락되었고 서울은 왜구가 쳐들어온 지 15일 만에 함락되었다. 당시 경주 부윤은 예순한 살의 윤인함(尹仁涵)이다. 그는 관속을 거느리고 서둘러 안강 두덕암으로 피난 갔다가 다시 죽장 입암에 임시 관아를 옮겼다. 관민이 하나가 되어 저들과 치열하게 싸우며 진퇴를 거듭하다가 그 해 9월 8일에 경주 읍성을 수복하였다. 읍성 안으로 들어오니 집경전과 객사는 물론 동헌 등 관아 부속 건물은 거의 잿더미로 변했다. 전대의 많은 유물이 없어졌지만 어찌된 영문인지 옥적만이 그대로 있었다. 달빛 아래 한 곡조를 들으니, 전란의 상흔이 너무도 참혹하여 흐르는 눈물을 금할 수 없었다. 하물며 그는 부윤이 아니었던가. 시의 원래 제목은 '김명원이 봉황대에서 옥적 소리를 듣고 느낀 바 있어서 지은 시에 차운하다'(次金命元鳳凰臺 聞笛 有感作韻)이다.

57. 황룡사 우화문에서

최홍빈(崔鴻賓, 고려 중기)

고목엔 북풍이 울부짖고
잔물결은 저녁 놓이 일렁인다.
머뭇거리며 옛 일을 생각자니
눈물이 옷깃 적신 줄 몰랐다네.

書黃龍寺雨花門(서황룡사우화문)

古樹鳴朔吹(고수명삭취)
微波漾殘暉(미파양잔휘)
徘徊想前事(배회상전사)
不覺淚霑衣(불각루점의)

『新增東國輿地勝覽』慶州, 古跡

해설

황룡사는 553년(진흥왕 14)에 짓기 시작하여, 645년(선덕왕 14)에 9층 목탑이 완성됨으로써 93년간의 대공사를 마무리 지은 신라 호국신앙의 중심 사찰이었다. 하지만 1238년(고종 25)에 몽고군의 침략으로 목탑과 건물 전체가 불에 타 없어지고 말았다. 위 시의 작가 최홍빈(崔鴻賓)은 고려 중기 인물로만 알려지고 있다. 우화문(雨花門)이 황룡사 9층 목탑의 동문 내지 남문일 것이다. 까마득하게 높이 오르니 고목에 삭풍이 불 듯 스산하고, 마침 해질녘이라 서산에 붉은 물결이 일렁인다. 신라의 국위를 상징했던 황룡사에 아무도 찾는 이 없다. 작가는 부질없이 흥망을 되씹으며 눈물을 훔친다. 원나라 학사 호종조(胡宗朝)가 경주에 와서 이 시를 보고, '참으로 세상에 드문 뛰어난 문사의 작품[眞不世才]'라고 극찬하고, 돌아가서 동도에서 이 시를 보았다고 황제에게 보고하였다.

이 시는 황룡사가 불에 타버린 이전에 지었을까 아니면 이후의 것일까? 기구와 승구에서 텅빈 터에 고목만 외롭다 한 것을 보면 불 탄 후의 작품으로 보인다. 그런데 작가가 황룡사 9층탑에 올라가서 지었을 수도 있다. 목탑의 소실연대는 기록이 있으나 작가의 생졸을 모르기 때문에 두 가지 해석이 가능하다 할 것이다. '우화(雨花)'는 양화(兩花)로 표기된 것도 있다.

58. 동도회고

작자 미상

아득한 지난 일들 물을 데 없고
보이는 건 쓸쓸함 뿐 흥망이 서글프다.
물은 하염없이 천년 고국을 흘러가고
안개는 흐릿하니 마흔여덟 왕릉에 짙구나.
첨성대 위에 주린 까마귀 모여 앉았고
반월성 가에는 소들이 어슬렁거린다.
아득한 들판에는 가을 풀 시들어 가는데
석양에 외로운 스님 허물어진 다리를 건너는구나.

東都懷古(동도회고)

悠悠往事問無憑(유유왕사문무빙)
極目蕭條感廢興(극목소조감폐흥)
流水一千年故國(유수일천년고국)
寒煙四十八王陵(한연사십팔왕릉)
瞻星臺上飢鴉集(첨성대상기아집)
半月城邊野鹿登(반월성변야록등)
漠漠平郊秋草沒(막막평교추초몰)
斷橋孤渡夕陽僧(단교고도석양승)

이 시는 1633년(인조 11)에 관포(灌圃) 박홍미(朴弘美)가 경주부윤으로 부임하여 지은「동경회고(東京懷古, 呈澤堂)」이다. 이후 영의정에 오른 귤산(橘山) 이유원(李裕元, 1814~1888)이『임하필기(林下筆記)』를 쓰면서 이 시를 옮겼는데 박홍미의 원시와 약간 다르다. 그 후 경주 문사들 사이에는 이 시는 무명씨의 시라며 널리 회자되었고, 시조창으로도 곧잘 불렸다. 이 과정에서 박홍미와 이유원의 시를 합쳐 개작하여 읊은 것이 위의 시다. 박홍미의 시를 실어야 옳으나 이 시가 많이 애송되었기에 실었다. 박홍미의 시를 후세 한 자도 고치지 않은 것은 함련(頷聯) 뿐으로, 명구 가운데 백미다. 신라는 모두 56왕인데 48왕릉이라고 한 것은 수장이나 화장한 왕을 제외한 개수일 것이다.

〈참고〉

1. 東京懷古呈澤堂 灌圃

朴弘美(1571~1642)

雞林遺事杳無憑 極目蕭條感廢興　　流水一千年故國 寒煙四十八王陵
瞻星臺古饑烏集 半月城空野鹿登　　漠漠平郊秋草合 斷橋孤渡夕陽僧

『灌圃先生文集』卷上

2. 東京懷古 橘山

李裕元(1814~1888)

悠悠往事問無憑 極目蕭條感廢興　　流水一千年故國 寒煙四十八王陵
瞻星臺上飢鴉集 半月城邊野犢登　　芬皇寺畔柴扉掩 寒橋孤渡夕陽僧

『林下筆記』권26

59. 문정에서 읊다

구암(懼庵) 이수인(李樹仁, 1739~1822)

찜통더위에 말을 타고 문정에 이르니
붉은 햇살 넘어가자 새달이 돋는다.
깊은 밤 창가에서 잠 못 이루는 것은
난간 밖에 냇물 소리 듣기 위함이라네.

到汶亭偶吟(도문정우음)

衝炎驅馬訪虛亭(충염구마방허정)
赤日初沉新月生(적일초침신월생)
侵夜倚牕仍不寐(침야의창잉불매)
爲聽檻外小溪聲(위청함외소계성)

『懼庵集』권1

해설

'양(陽)'자는『옥편(玉篇)』에 산의 남쪽이나 물의 북쪽이라고 풀이하였다. 이를 산남수북 (山南水北)이라 하는데, 곧 태산양(泰山陽)하면 태산 남쪽이고, 한수양(漢水陽)하면 한강 북쪽이란 뜻으로, 한양(漢陽)이나 낙양(洛陽)의 지명이 그 예다. 반월성 남쪽에 흐른 내가 문천(汶川)이다. 그 북쪽에 있었던 사마소(司馬所)를 달리 문양정(汶陽亭) 또는 문정(汶亭) 이라 불렀다. 생원시에 장원으로 급제한 이수인은 안강읍 산대리 사람이다. 경상도 관찰 사의 추천으로 정조 앞에 나아가 시무책을 진언했던 그였다. 한여름 불볕더위에 그가 사 마소에 와서 밤 늦도록 잠을 이루지 못한 것은, 금오산 위에 휘영청 밝은 달이 솟았고, 창 밖 흐르는 물소리가 워낙 맑아 그 소리를 듣기 위해서다. 청정한 심경(心境)을 드러낸 작 품이다.

조선시대 경주지역 소·대과 합격자 명단을 적은 연계안

60. 봉황대에 올라

도원(桃源) 이말동(李末仝, 1443~1518)

강산은 옛 모습이나 세월은 덧없이 흘렀고
풍월은 아름답건만 또 몇 해나 지났던고.
고국의 영화는 이제 찾을 길 없는데
좋은 시절에 나만 홀로 즐겁게 노니는구나.

登鳳凰臺(등봉황대)

江山不變經何代(강산불변경하대)
風月無邊閱幾年(풍월무변열기년)
古國繁華今已掃(고국번화금이소)
良辰遊樂獨余全(양진유락독여전)

『桃源集』권1

해설

'풍월무변(風月無邊)'은 송나라 주희가 주돈이(周敦頤)의 찬문을 지은 글 속에 있는 말로, 풍경이 매우 뛰어난 것이나 인품이 아주 고매함을 이른다. 여기선 앞의 의미다. 봉황대는 왕릉으로 추정되지만 이러한 일화가 전한다. 신라가 쇠진하여 망하기를 기다리던 고려 왕건은 한편으론 신라가 부흥할까 우려하기도 했다. 사람을 시켜 신라 서라벌의 형국은 단봉포란형(丹鳳抱卵形)인데, 봉황이 날아가면 안 되니 알을 만들고 봉황이 먹을 우물을 파라고 회유했다. 흙을 쌓아 봉황 알 같은 구릉을 만들고 미추왕릉 부근에 큰 우물을 팠다. 그러나 서라벌 지형은 진작 행주형(行舟形)임을 알고 있었다. 배가 흘러가지 못하도록 흙을 담아 쌓고 우물을 파서 배가 가라앉도록 유도했다는 것이다. 위 시의 봉황대는 신라 전성시대의 유물로 받아들였다. 이말동은 사마 양시에 합격하고 성균관에서 한훤당 김굉필 등과 교류했으나 연산군 때 사화(士禍)의 조짐을 알고 경주 기계에 퇴거하였다.

봉황대(1920년대)

61. 영지에서 낚시하다

우암(寓庵) 남구명(南九明, 1661~1719)

소낙비와 바람이 이따금 낚시터를 씻으니
도롱이 더럽힐 티끌 어찌 있으랴.
위수(渭水)가 때를 엿보던 강태공 늙은이
여든에 낚싯대 던지고 돌아오지 않음이 밉구나.

影池釣魚(영지조어)

急雨和風洗釣磯(급우화풍세조기)
俗塵那得染蓑衣(속진나득염사의)
飜嫌渭曲鷹揚老(번혐위곡응양로)
八十投竿去不歸(팔십투간거불귀)

『寓庵集』권1

해설

영지(影池)는 맑고 깨끗하다. 그러므로 신라의 팔괴(八怪) 중 불국영지(佛國影池)가 아닌가. 이렇게도 맑은데 간혹 비바람이 자리를 씻어주니 속세의 더러움이란 한 점 없다. 옛날 태공망(太公望)은 근 여든 살까지 위수 가에서 낚시하다 서백 창(昌)의 부름을 받고 떠난 뒤 돌아오지 않았다. 여든에 무슨 부귀를 보자고 떠났는가. 나는 그가 싫다. 하지만 작가 우암도 벼슬에 자유스럽지 못했다. 영해 원구가 고향인 그는 28세 때 처가 곳 외동 영지에 내려왔고, 32세에 문과 급제하였다. 그 후 14년간 임용되지 못했다가 우승에 이어 과천 현감에 제수되있다. 인사 차 영의정 서종태를 찾아갔더니 너무 고속 승진이라며 비꼬았다. 그 자리에서 관모를 팽개치고 낙향했지만 괘씸죄에 걸려 제주 통판으로 떠났다. 제주도에서 많은 시문을 남겼고 다시 순천 부사를 역임하다 영지로 돌아왔다. 그가 후학을 지도했던 '영지서당'은 근래까지 글 읽는 소리가 이어졌다.

위 시의 '응양로(鷹揚老)'는 상나라 말 태공망(太公望)을 말한다. 그는 위수 물가에서 허구한 날 낚시를 하다 서백(西伯)인 문왕이 사냥을 나왔다가 만났다. 서백을 따라갈 때 그의 나이는 일흔두 살이었다. 태공망은 문왕과 그의 아들 무왕을 도울 때 뛰어난 용병술로 상나라를 쳐서 없애고 주나라를 세웠다. '응양(鷹揚)'이란 말은 그래서 나온 말이다.

62. 임해정 낙성시에 차운하며

수헌(脩軒) 최현필(崔鉉弼, 1860~1936)

옛 연창궁(連昌宮)에 새 누각을 지으니
봉래 신선들이 모두 모여들었네.
무산(巫山)의 아름다움은 자취 없지만
월성에는 어엿이 차가운 반달이 밝구나.
푸른 버들이 물결에 드리우니 부평초와 어울리고
붉은 기둥이 구름에 빛나니 기러기가 날아든다.
공무 여가에 승지 찾아주신 군수님
취했다가 다시 깨며 주민들과 함께 즐기시네.

謹次朴明府一湖(光烈)臨海亭韻(근차박명부일호(광렬)임해정운)

連昌宮古刱新樓(연창궁고창신루)
蓬海仙人許讓頭(봉해선인허양두)
巫峽重峰全面盡(무협중봉전면진)
孤城寒月半輪秋(고성한월반륜추)
綠楊掃浪萍還合(녹양소랑평환합)
朱栱排雲雁正流(주공배운안정류)
擇勝仁侯多牒暇(택승인후다첩가)
能醒能醉與民遊(능성능취여민유)

『脩軒集』권1

해설

연창궁은 당나라 고종 3년(658)에 지은 화려한 궁전이었으나 뒷날 허물어진 궁에 잡초만 무성히 자랐다고 당나라 원진(元積)이 연창궁사(連昌宮詞)를 지어 노래했다. 그러나 뒷날 연창궁 터에 새 누각을 세웠다는 고사를 인용하여, 임해정의 신축을 축하하였다. 무협은 신선이 있었다는 산으로 안압지를 미화한 말이다. 안압지는 처음 월지(月池)라 부르다가 안하지(安夏池), 월영지(月映池), 안압지(雁鴨池)라 불렸다. 조선시대 안압지는 기러기도 내려앉지 않을 정도로 황량하였다. 1924년 가을에 경주 군수 박광렬(朴光烈)이 안압지 동편 버드나무 사이에 6칸 정자를 짓고 '임해정(臨海亭)'이라 편액하였다. 임해정 낙성식은 경주 인근의 문사들이 모두 모여서 성대하게 잔치를 베풀어졌으며, 군수 박광렬이 원운(原韻)으로 시를 짓고 최현필이 차운한 시가 위의 글이다. 그가 왜 임해정을 창건했는지는 모른다. 나라 잃은 민족의 한을 달래보려는 뜻도 있었을 것이다. 1977년에 안압지 정비사업이 시작되었고, 임해정은 신라 때 유물이 아니라는 이유로 철거하게 되었다. 그해 10월에 임해정을 황성공원 경내로 옮겨 세우고 호림정(虎林亭)이라 편액하여 오늘에 이른다. 시의 원래 제목은 '일호 박광렬 군수의 임해정 시에 차운하다'(謹次朴明府一湖(光烈)臨海亭韻)이다. 마지막 시구는 송나라 구양수(歐陽脩)의 취옹정기(醉翁亭記)의 글이 보인다.

안압지 임해정(1980년)

63. 김생 글씨를 보고

백운거사(白雲居士) 이규보(李奎報, 1168~1241)

아침 이슬 맺히고 저녁 안개가 일도다.

성난 규룡 날뛰고 신령스런 봉황이 나는구나.

김생 글씨인가 왕희지 글씨인가.

사람은 다르지만 글씨는 같구나.

마음 가는 곳에 손이 응하니 하늘이 내려준 듯

신이(神異)한 그 필력을

진정 깨달아 말하기 어렵도다.

金生(김생)

朝露結兮夕煙霏(조로결혜석연비)

怒虬挐兮靈鳳騫(노규나혜영봉건)

金生耶羲之耶(김생야희지야)

身雖異兮手則同焉(신수이혜수즉동언)

心手相應付之者天(심수상응부지자천)

神哉異哉言所難傳(신재이재언소난전)

『東國李相國後集』권11

김생(金生, 711~791)은 어려서부터 글씨를 익혀 나이 여든에 이르렀으나 여전히 붓을 잡고 쉬지 않았고, 특히 예서와 행초서는 모두 입신(入神)의 경지에 이르렀다. 김생은 중국의 서성(書聖)이라 일컫는 왕희지(王羲之)의 필법을 공부하여 마침내 해동서성(海東書聖) 또는 신필(神筆)이라 불리었다. 글씨는 강유(剛柔)의 조화에 그 멋이 있다. 이를테면 풀잎에 아침 이슬이 맺히고 저녁 안개가 일어나듯 맑고 부드러운 여성적 미와 성난 규룡이 날뛰고 신령스런 봉황이 하늘 높이 날아가듯 강건한 힘이 어우러져야 한다. 초중사설(草中蛇舌) 곧 풀섶에 뱀의 헛바닥처럼 유연하게 날름거리지만 그 속에 무서운 독이 있다. 글씨의 기품(奇品)을 일컫는 말이다. 김생 필적은 탑비(塔碑)와 『해동명적(海東名蹟)』 등에 실려 있다. 경주부 남쪽 6리쯤에 태로원(太櫓院)이란 원이 있는데 '태로원(太櫓院)'이란 대자(大字)는 김생이 썼다. 또한 경주 서남산 창림사(昌林寺) 비문 역시 김생이 썼다고 전한다.

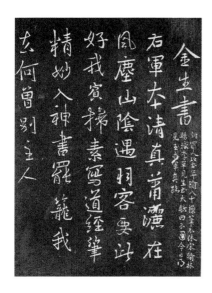

『해동명적』에 실린 김생 글씨(경주 독락당 소장)

64. 영묘사 부도에 올라

매월당(梅月堂) 김시습(金時習, 1434~1493)

세 왕조의 문물은 끝내 공적이 없지만
맑은 하늘과 한가한 구름 고금에 같구나.
천년 세월에 사람도 세상과 바뀠고
흥망 백대에 거친 잡초는 하늘에 닿았다.
월성의 짙은 나무에 아지랑이 걷히고
문천의 개인 물결에 기러기를 보낸다.
나그네의 시름을 어디에서 보탤까?
무너진 담장 봄비에 풀만 무성하구나.

登靈妙寺浮圖(唯一木浮圖獨存)(등영묘사부도(유일목부도독존))

三朝文物竟無功(삼조문물경무공)

天淨雲閑古今同(천정운한고금동)

締搆千年人換世(체구천년인환세) (創已九百餘年, 창이구백여년)

興亡百代草連空(흥망백대초연공)

月城烟樹收殘靄(월성연수수잔애)

蚊水晴波送去鴻(문수청파송거홍)

何處最堪添客恨(하처최감첨객한)

壞垣春雨草芃芃(괴원춘우초봉봉)

해설

영묘사(靈妙寺)는 635년(선덕왕 4)에 창건하였다가 662년(문무왕 2)에 화재를 입었다. 그 후 다시 전우(殿宇)를 지었으며 조선 전기까지 있었다. 본래 이 절터는 연못이었으나 두두리(豆豆里) 무리가 와서 하룻밤 새 메운 뒤 절을 지었다고 한다. 영묘사는 경주부 서쪽 5리쯤 관도(官道), 곧 큰 길가 송림 속에 있었다. 이 절의 특징은 첫째, 난간으로 빙 돌아서 올라가는 3층 전우인데 극히 웅장하며 화려했다. 둘째, 석감(石龕)이 있었으나 조선 초에 이미 넘어졌다. 셋째, 나무로 만든 부도, 곧 목부도(木

『동여비고』(東輿備攷, 16세기, 대성암 소장)

浮圖)가 있었다. 사람이 올라갈 정도로 높았는데, 매월당이 영묘사에 들러 바로 이 목부도에 올라 지은 시가 위의 시다. 이 시의 소주(小註)에, 영묘사 부도는 유일하게 남은 목부도라 하고, 절을 창건한 지 천 년이라 썼으나 실제는 구백여 년이라고 했다. 시의 원제는 '영묘사에 홀로 남은 나무 부도에 올라서'(登靈妙寺浮圖(唯一木浮圖獨存))이다.

65. 금오산에 노닐며

몽암(蒙庵) 이채(李埰, 1616~1684)

지나간 일이라 산은 말이 없고
뜬 구름만이 하늘로 흘러간다.
금송정엔 거문고 소리 끊어졌고
매월당의 옛 터는 텅 비었구나.
상서장은 황폐해도 옛날 고운이 거닐었고
봉생암은 우뚝 섰는데 봉새는 간 데 없더라.
외롭게 지팡이 짚고 길게 읊으며
지는 해를 등지고 선방(禪房)을 찾는다.

遊金鰲山偶吟求和同遊諸益(유금오산우음구화동유제익)

往事山無語(왕사산무어)
浮雲過太虛(부운과태허)
琴松遺響斷(금송유향단)
梅月舊堂墟(매월구당허)
庄廢遊仙古(장폐유선고)
巖留鳳去餘(암유봉거여)
孤笻發長嘯(고공발장소)
落日訪禪居(낙일방선거)

『蒙庵集』권2

해설

지난 세월에 무슨 일이 있었는지 금오산은 말이 없다. 다만 예처럼 하염없이 구름만 흘러갈 뿐이다. 경덕왕 때 옥보고(玉寶高)가 금송정에서 거문고를 탔다는데, 그 소리 끊어진 지 오래고 매월당이 떠난 뒤 그 영당에 찾는 이 없다. 최치원이 나라에 글을 올렸다는 상서장은 이미 옛 자취가 되었다. 신라 때 나라가 융성하고 정치가 순미(淳美)하자 봉황새가 바위에 날아와 울었다. 나라 사람들이 그로 인하여 노래를 지어 찬미했는데, 그 바위를 봉생암(鳳生巖) 또는 봉암(鳳巖)이라 하였다. 포석정 뒤에 있으나 날아간 봉황은 다시 돌아오지 않았다. 금오산에 남긴 신라의 전설과 유적은 모두 폐허로 변했다는 말이다. 조선시대 선비들이 금오산을 오른 이유는 이 네 가지를 보기 위해서다. 불교 유적은 진작 민초들의 기원처(祈願處)가 돼버렸다. 시의 원래 제목은 '금오산에 노닐며 시를 한 수 읊고 여러 벗님에게 화운(和韻)을 청하며'(遊金鰲山 偶吟求和同遊諸益)이다.

경주 금오산

66. 계림에서

만사(晚沙) 이헌하(李憲河, 1701~1775)

시림의 아름다운 계절 안개가 흐릿한데
한낮 금닭은 울지도 날지도 않는구나.
석궤에 가을바람 일자 지난 일이 처량하고
붉은 등나무 꽃 아래 이슬비가 흩날리는구나.

雞林(계림)

始林佳期淡烟微(시림가기담연미)
白日金鷄噤不飛(백일금계금불비)
石櫃秋風凄往事(석궤추풍처왕사)
紫藤花下雨霏霏(자등화하우비비)

『晩沙遺稿』人

해설

탈해왕 9년(65) 3월의 일이다. 밤중에 금성 서쪽 시림(始林) 숲에서 닭 울음소리가 들렸다. 날이 밝자 호공(瓠公)을 시켜 살펴보니 금빛이 나는 작은 궤짝이 나뭇가지에 걸려 있고, 흰 닭이 그 아래에서 울고 있다고 하였다. 왕은 궤짝을 가져와 열어보니, 그 속에는 남자 아이가 있었는데 용모가 준수하였다. 왕이 기뻐하며 이 아이는 하늘이 내게 내려준 것이라 하고 수양하였다. 아이가 성장하자 총명하고 지략이 뛰어나니, 이름을 알지(閼智)라 불렀다. 이로써 시림을 고쳐 계림(雞林)이라 하고 이를 국호로 삼았다고 『삼국사기』에 기록되어 있다. 『삼국유사』에 왕이 알시를 태사로 삼았으나 알시는 뒷날 왕위를 사양하고 나아가지 않았다. 왕은 그에게 김씨 성을 내렸다고 했다. 이러한 지난 일은 누구에게도 물을 데 없고, 고목을 휘감은 등나무 꽃이 비에 젖어 있을 뿐이다. 작가 이헌하는 경주 양동 사람이다.

67. 괘릉에서

성재(省齋) 손윤구(孫綸九, 1766~1837)

동창(東倉)에 말을 세워두고 오솔길로 들어가니
산자락 검푸른 솔밭에 갈가마귀 지저귄다.
우거진 풀숲에 기린이 누워 있고
은은한 나무 사이에 호랑이 앉았다.
석양에 나그네 지팡이가 얼마를 머물렀으며
추풍에 목동의 풀피리는 부질없이 들리는구나.
왕기(王氣)는 처량하게 구름마냥 흩어졌지만
천고에 한 봉분이 높다랗게 솟아 있다.

掛陵(괘릉)

立馬東倉細路斜(입마동창세로사)

隔原松檜咽寒鴉(격원송회열한아)

萋萋宿草麒麟臥(처처숙초기린와)

隱隱殘林象虎跏(은은잔림상호가)

落日幾留行客杖(낙일기류행객장)

秋風空集牧童笳(추풍공집목동가)

淒凉王氣浮雲散(처량왕기부운산)

千古嵯峨一坏沙(천고차아일배사)

『省齋集』권1

해설

조선시대 경주에서 울산 방면으로 가는 길은 모두 '동(東)'으로 표기했다. 조양에서 영지를 거쳐 구어와 관문성으로 통하는 길이 옛길이며, 현재 불국역에서 괘릉을 지나 입실쪽의 길은 일제강점기 때 만든 신작로다. 따라서 괘릉은 외진 곳일 수밖에 없다. 초입에 '동창(東倉)'이란 창고가 있었다. 괘릉은 신라 원성왕릉으로 추정하지만 여러 설이 있다. 이곳에는 문인상과 무인상 각각 한 쌍, 그리고 돌사자 네 마리가 있다. 특히 무인상은 서역인을 본떠 만들었으며, 돌사자는 두 마리씩 마주보고 있다. 위의 시에서 돌사자를 기린과 호랑이로 보았다. '상호(象虎)'는 코끼리와 호랑이로 읽지 않고 기린에 대를 맞추기 위해 호랑이로 풀이했다. 경주의 역사 문화를 탐방하다 지치면 괘릉을 찾아가 보라는 말이 있다. 그 석물에서 답을 찾아야 할 것이다.

68. 망부석

뇌계(㵢溪) 유호인(兪好仁, 1445~1494)

외로운 신하 박제상, 죽음으로 성은에 보답하니
동쪽 만 리의 왜국이 신라 충신을 높이는구나.
치술령 꼭대기 세 길이나 되는 바위를
구름마저 수심에 잠겨 망부의 혼을 감싸네.

望夫石(망부석)

孤臣一死答君恩(고신일사답군은)
萬里扶桑漢節尊(만리부상한절존)
鵄述峯頭三丈石(치술봉두삼장석)
雲愁猶帶望夫魂(운수유대망부혼)

『㵢溪集』권2

해설

본 시제는 '우연히 『삼국사기』를 읽고 아울러 여러 기록에 적힌 글을 채집하여 동도잡영 (東都雜詠)을 짓다(偶閱三國史 兼採雜記 作東都雜詠)'이다. 유호인은 「동도잡영」 7절 25영 (詠)의 거작을 남겼으며 이 중 위의 시는 아홉 번째다. 한나라 무제 때 소무(蘇武)가 북방 흉노에 사신으로 갔다. 그가 귀국하려 할 때 흉노족에 내란이 일어났고, 소무가 연루되었 다는 이유로 억류되었다. 결국 소무는 북해 곧 바이칼호 부근에 유폐되어 양을 치면서 온 갖 고초를 다 겪었다. 그렇지만 그는 사신으로 갈 때 가져간 한나라의 부절(符節), 곧 깃 털로 만든 깃발을 잠시도 손에 놓지 않았다. 뜬금없이 19년 간 억류되었다가 극적으로 귀 국하자 그의 머리는 하얗게 세었으나 깃털 빠진 부절은 갖고 있었다. 이로써 편지를 안서 (雁書)란 말과 충신의 군은 지조를 소무절(蘇武節)이라 한 고사도 여기에서 나왔다. 위 시 의 한절(漢節)이 그것이다. 왜인들이 박제상을 소무처럼 높인다고 말하였다.

치술령 망부석

69. 월명항에서

부사(浮査) 성여신(成汝信, 1546~1632)

괴상한 옷을 입은 늙은 처용이
왕 앞에 노래하고 춤추니 기상이 높구나.
저잣거리의 덩실 춤에 그림자가 어지러운데
지금도 월명항에서 어렴풋이 보이는 듯하네.

月明巷(월명항)

奇形詭服處容翁(기형궤복처용옹)
歌舞王前氣像雄(가무왕전기상웅)
市上婆娑凌亂影(시상파사능란영)
至今如見月明中(지금여견월명중)

『浮査集』권1

해설

헌강왕이 울산 개운포에 나가 놀았다. 그런데 홀연 한 사람이 기이한 모습에 괴상한 옷을 입고 임금 앞에 나타나 춤을 추고 노래를 부르며, 스스로 처용(處容)이라 말했다. 서라벌로 돌아온 그는 달 밝은 밤이면 저잣거리에서 노래하고 춤을 추었는데, 그가 즐기던 곳을 후세 사람들이 월명항(月明巷)이라 불렀다고 이 시에 주(註)를 붙여 두었다. 문제는 월명항이 어딘가 하는 것이다. 월명항은 금성(金城) 남쪽에 있다고 했다. 『동경잡기』에 금성은 경주부 동쪽 4리에 있고, 월성은 동남쪽 5리에 있다고 했다. 이를 통해 보면 금성은 지금 월지 부근으로 볼 수 있다. 곧 월지에서 남쪽으로 낭산 선덕왕릉 서쪽 일대의 들녘을 일컫는다. 지금도 동경 달 밝은 밤 인영(人影)이 땅에 드리울 때면 어디선가 처용이 너울너울 춤을 추고 곧 나타날 것만 같다. 위 시의 파사(婆娑)는 춤추는 모양이다. 감화(甘華) 이정익(李鼎益)의 「처용무(處容舞)」를 보면 기우제를 지낼 때 처용무를 췄던 기록이 있다.

70. 동도회고

매산(梅山) 정중기(鄭重器, 1685~1757)

계림에 잎사귀 지고 월성은 황량한데
아! 서라벌의 번영이 한 바탕 꿈이던가.
초영(楚郢)과 같이 천 년의 강성대국이었고
우당(虞唐)을 본받아 세 성이 선위하였네.
장군 묘에 소슬한 가을바람은 일고
상서장에 거친 풀섶이 어지럽다.
산수는 아직 모두 옛날과 같지만
묵은 자취를 찾으려니 다시 창망하구나.

東都懷古(동도회고)

雞林搖落月城荒(계림요락월성황)
徐伐繁華夢一場(서벌번화몽일장)
國富千秊同楚郢(국부천년동초영)
家官三姓效虞唐(가관삼성효우당)
悲風蕭瑟將軍墓(비풍소슬장군묘)
老草離披學士莊(노초이파학사장)
山水卽今都似舊(산수즉금도사구)
欲尋陳迹更蒼茫(욕심진적갱창망)

『梅山集』권1

해설

초영(楚郢)은 춘추시대 초나라 도읍지 영(郢) 땅으로, 강대국의 번성함을 의미한다. 우당(虞唐)은 요(堯)가 순(舜)에게 임금 자리를 물려주었다는 뜻으로 신라 삼성이 서로 왕위를 계승했다는 말이다. 서라벌의 천년은 일장춘몽이었다. 김유신 묘에 비풍(悲風)이 처량하고 최치원의 상서장엔 가을 풀만 거칠다. 산천은 모두 옛날과 같지만 인걸도 문물도 간데 없다. 그들이 머물다 간 자취를 찾아보려 헤매었으나 남은 것이 아무것도 없다. 다시 넓은 들녘에 홀로 서서 무엇인가 잃어버린 듯 망연히 서성거리고 있다. 작가 정중기는 영천 사람으로, 사마시에 합격하고 벼슬은 형조참의에 이르렀다.

신라 고분군과 민가(1920년대)

71. 각간 김유신 묘를 지나며

시암(是庵) 임화세(任華世, 1675~1731)

나라 위기를 대비해 하늘이 낳은 용기와 지혜
보검과 신서(神書)의 사적은 기이할 뿐이다.
장렬한 기상은 앞 시대 역사에 기록돼 있고
영웅의 풍모는 후세 사람에게 정감을 일으킨다.
어려움을 여러 번 겪었으나 충의를 다하였고
산하에서 수없이 싸우며 난국을 평정하였다.
차가운 안개 쓸쓸하고 가을 잡초 짙은데
한번 참배를 드리니 눈물이 앞을 가린다.

過角干墓(과각간묘)

天生勇智爲時危(천생용지위시위)

寶劍神書事已奇(보검신서사이기)

壯烈特垂前史映(장렬특수전사영)

英風猶起後人思(영풍유기후인사)

幾遭艱險輸忠義(기조간험수충의)

百戰河山定亂離(백전하산정란리)

漠漠寒煙秋草裏(막막한연추초리)

一番傴僂淚相隨(일번구루루상수)

『是庵集』권2

해설

신라 회고시는 다양하게 나타나 있다. 왕조의 흥망과 문물의 성쇠, 그리고 인물의 명멸을 주로 읊었다. 김유신의 위대함은 다시 거론할 필요가 없다. 신라가 위기에 처했을 때마다 항상 그가 있었다. 그의 장렬한 사적은 사서(史書)에 기록되어 있으며, 후세 사람들이 이 글을 읽으면 충의를 불러일으키지 않을 수 없다. 그러나 지금 그의 묘소는 가을 풀 더미에 덮여 있으며 아무도 찾는 이 없다고 하였다. 이 시의 주(註)에, 임화세가 을유년(1705, 숙종 31)에 낭산 남쪽에 와서 우거한 뒤 지었다고 하였다. 김유신 묘소에는 비석 3기가 있다. 이 중 가장 오래된 것은 묘소 오른쪽의 것으로, 부윤 남지훈(南至熏)이 1710년(숙종 36)에 건립한 비다. 임화세가 김유신의 묘소를 찾았을 때는 아무런 비도 없었다. 쓸쓸한 가을 풀더미를 바라보고 서 있으니 흐르는 눈물을 주체할 수 없었다.

72. 봉덕사 종

송국재(松菊齋) 이순상(李舜相, 1659~1729)

봉황대 서쪽에 옛 종이 걸렸는데
동면에 새긴 명문이 아직도 완연하다.
고국의 덧없음은 기수(氣數)가 있으니
어찌 주정(周鼎)이 낙양에 옮겼음을 논하랴.

奉德鍾(봉덕종)

鳳臺西畔古鍾懸(봉대서반고종현)
銅面遺銘尙宛然(동면유명상완연)
故國滄桑知有數(고국창상지유수)
奚論周鼎洛陽遷(해론주정낙양천)

『松菊齋集』권1

해설

성덕대왕신종을 조선시대에는 봉덕사종이라 일컬었다. 둥근 종이지만 앞뒤가 있다. 향로를 받드는 두 비천상 사이에 종명(鍾銘)이 있는데, 여기가 종의 핵심 부위다. 신종 명문을 보면 전면은 서문(序文)이고 후면에는 명문(銘文)과 주종 참가자의 관직 및 인명을 적었다. 서문은 659자(字), 명문은 214자, 관·인명은 160자로, 모두 1,033자가 양각되어 있다. 서문과 명문은 거의 판독되었으며, 인명 등에서 마멸이 심한 몇 글자가 있을 뿐이다. 날씨가 좋으면 육안으로 상당 글자를 읽을 수 있다. 위 시의 주정(周鼎)은 주나라 구정(九鼎)으로 왕권이나 왕조를 상징한다. 주정이 낙양으로 옮겼다는 말은 나라를 잃었음을 의미한 것으로, 신라의 쇠망도 기수에 의한 것이라 노래하였다.

성덕대왕신종 비천공양상

73. 석굴암에서

죽오(竹塢) 이근오(李覲吾, 1760~1834)

천태산 서쪽에 외로운 암자 있는데
위태롭게 돌로 쌓은 굴이 흡사 감실이라네.
위는 왕릉모양 거친 잔디를 둘렀고
가운데 부처가 짙은 안개에 덮였다.
깊은 동굴 은은한데 이상한 광채가 돋고
고요한 골짜기에 이따금 푸른 산기운 이는구나.
당시 힘써 조각했건만 부질없는 일
천년의 고적을 잠시 들러 살펴본다.

石窟庵(석굴암)

天台西畔有孤菴(천태서반유고암)

疊石嶔㟢忽似龕(첩석함하홀사감)

上築高陵莎草遍(상축고릉사초편)

中藏神佛霧雲含(중장신불무운함)

窟深隱隱生光怪(굴심은은생광괴)

山靜時時起翠嵐(산정시시기취람)

當日徒勞彫琢力(당일도로조탁력)

千年古蹟一朝探(천년고적일조탐)

『竹塢遺集』권1

해설

천태는 천태산(天台山)으로, 양북면 장항리에 있다. 산 속 외로운 석굴암은 돌로 쌓은 감실 같았다. 암자 위는 높은 왕릉와 같은데 잔디가 덮였고, 가운데 부처님은 안개 속에 묻혀 있었다. 조선시대 선비들이 신라의 불교 사적을 보면 곧잘 부질없는 숭불을 탓하며 쓰는 용어가 '도로(徒勞)'이다. 국가의 엄청난 재력을 기울여 큰 불사를 일으켰다. 온 나라와 백성의 안녕을 위해서 얼마나 많은 이가 기원했던가. 그러나 외세의 침입이 있거나 나라가 망할 때 정작 불력(佛力)은 아무런 보답이 없었다. 석굴암의 조각상을 보면서 작가 이근오는 도로무익(徒勞無益)이라고 지나갔다. 그는 울산 석천(石川) 사람이다. 문과에 급제하여 벼슬하다 낙향한 후 경주에 와서 잠시 살았으며, 경주 연계안(蓮桂案)에 그의 이름이 올라 있다. 석굴암은 1995년 12월 불국사와 함께 세계문화유산으로 등재되어 신라 불교문화의 세계성을 입증하고 있다.

74. 금오산을 지나며

호려(蒿廬) 서숙(徐塾, 1820~1882)

금오산 아름답다는 말 듣고
이곳저곳 풍광을 찾아 나섰지.
안개 짙으니 산은 겹겹이 쌓였고
구름 지난 자리에 물이 넘실 흐른다.
속세의 티끌 한 점 없으니
몇 번이나 우러러보며 찬탄하였던고.
지금 외로운 용장사 곁에서
다시 매월당의 마음을 되새긴다.

過金鰲山(과금오산)

聞道金鰲好(문도금오호)

尋好歷歷看(심호역력간)

霞障山疊疊(하장산첩첩)

雲過水漫漫(운과수만만)

一點塵埃絶(일점진애절)

幾回瞻仰歎(기회첨앙탄)

至今孤寺上(지금고사상)

梅月調心寒(매월조심한)

『蒿廬集』권1

해설

금오산 곧 경주 남산에는 신라시대의 불상과 불탑 및 사지(寺址)가 골짜기마다 산재해 있다. 뿐만 아니라 그 기암의 산세며 아름다운 경치는 진작 소문을 들어서 알고 있다. 그리하여 작심을 하고 이곳저곳을 두루 찾았다. 안개가 짙으니 산의 진면(眞面)은 더욱 짙고 첩첩하다. 구름이 비를 뿌리고 지나간 골짜기에는 물소리가 한가롭다. 명경같은 청정한 선계다. 몇 번이나 우러러보며 그 신선함에 감탄했던가? 다시 용장사 매월당 영당에 들러 김시습의 숭고한 충절과 정신을 흠모하였다. 작가 서숙은 경주 현곡면 구미리에서 태어났다. 아들 서당오(徐唐五)와 같이 과거시험을 보러 갔는데 아들만 생원시에 합격했다. 그는 기쁨을 가누지 못하고 아들과 서로 시를 주고받았는데, 이를 묶은 '명화록(鳴和錄)'이 전한다. 한시 풀이는 해석하지 말아야 할 글자와 없는 글자를 더 넣어 해석해야 하는 경우가 있다. 이를 유의할 필요가 있다.

75. 기림사에서

제정(霽亭) 이달충(李達衷, 1309~1384)

기림사의 범종소리 듣고 싶었는데
이제사 벼슬살이로 월성에 왔다네.
산 깊으니 구름은 골짜기에 있고
소나무 늙으니 풀이 가지에서 돋았구나.
겁 없는 사슴은 아무데나 졸고
시흥이 길어지니 말은 마냥 피곤하다.
이번 걸음 참으로 즐거워
이르는 곳마다 새로운 시구를 얻었네.

題祇林寺(제기림사)

聽梵祇林後(청범기림후)
還官半月時(환관반월시)
山深雲在峽(산심운재협)
松老草生枝(송로초생지)
勇少伊泥睡(용소이니수)
吟長款段疲(음장관단피)
此行眞可詑(차행진가이)
觸處有新詩(촉처유신시)

『霽亭集』 권1

해설

제정 이달충은 17세 때 과거에 급제하였고 1367년(공민왕 16)에 계림부윤으로 부임하였
다. 기림사가 유명하다는 말을 진작 듣고 있었다. 그러나 올 수가 없었는데 마침 부윤으
로 부임하였다. 하루는 공무 여가에 기림사를 찾은 적이 있는데, 거기서 산사 스님과 진
외(塵外)의 말을 주고받으니 더욱 정신이 맑았다. 골 깊은 데 구름은 자욱하고, 노송 묵은
가지에 풀이 새파랗게 돋았다. 겁이 없는 사슴은 사람을 보아도 느긋이 잠을 자고, 시흥
에 취해 높이 읊조리니 말은 피곤한 듯 느리다. 마지막으로 그는 가는 곳마다 새로운 시
를 얻게 되어 이번 걸음이 즐거웠다고 하였다. 이 시에서 '송로초생지(松老草生枝)'는 당나
라 서응(徐凝)의 시구 '지불생화복생초(枝不生花腹生草)'에 의미를 두고 있다. 또한 '이니(伊
泥)'는 이니(伊尼)로 달리 쓰는데 범어로 사슴 이름이며, '관단(款段)'은 말의 느린 걸음을
일컫는다. 이 시의 주에 이니는 '녹야(鹿也)', 관단은 '마야(馬也)'라 하여 그 뜻을 밝혀두었
다. 시제 아래에 '기림사는 함월산에 있고, 내가 계림 부윤으로 있을 때 아름다운 경내를
둘러보았다'(祇林寺在含月山 尹雞林時 見勝覽)란 말을 덧붙였다.

경주 기림사(1929년)

76. 포석정에서

졸옹(拙翁) 홍성민(洪聖民, 1536~1594)

어지러운 암석에 부딪친 물소리 슬픈데
옛 서울 풍경은 제 모습이 아니구나.
고목에 서풍 일자 감개가 더욱 깊어져
긴긴 밤 비 뿌려도 이 시름 씻지 못한 걸.

鮑石亭(포석정)

澗水嗚嗚亂石敧(간수오오난석의)
故都雲物摠非宜(고도운물총비의)
西風入樹飜生感(서풍입수번생감)
一雨連宵未洗悲(일우연소미세비)

『拙翁集』 권4

해설

포석정을 생각하면 유상곡수(流觴曲水)보다 애사(哀史)가 먼저 떠오른다. 견훤의 침입으로 경애왕은 자진하고 비빈과 대신들은 죽음보다 더한 수모를 겪어야 했었다. 그 사건의 현장이 바로 포석정이다. 경주 사람들은 예로부터 『삼국사기』 경애왕 4년(926) 11월의 사실을 읽지 않으려 했다. 도저히 있을 수 없는 참담한 충격이었다. 위 시의 작가 홍성민은 이 같은 사실에 대해 언급하지 않고, 대신 사물에 빗대어 이를 간접적으로 표현하였다. 워낙 슬픈 일이라 남녀노소는 물론 물소리마저 슬피 흐느낀다. 더구나 고목에 가을바람이 몰아치니 잎사귀는 우수수 떨어진다. 적들이 쳐들어왔을 때 모두 사방으로 뿔뿔이 흩어져 도망간 꼴과 흡사하다. 끝으로 밤새도록 내릴 빗물로 깊은 한을 씻어보려 했지만 씻을 수 없다고 읊으며 시를 마무리한다.

77. 모량역에서

노봉(老峯) 김극기(金克己, 고려 명종 때 문신)

고향 가고픈 마음 깃발처럼 흔들리더니
홀연 집을 향하여 말채찍을 휘두른다.
먼 산마루에 점차 타향의 경치는 사라지고
요란한 물소리는 고향의 소리인 듯 들린다.
잘린 나무토막을 거둔 듯 바람이 일어나고
뜬구름 같은 신세 옛 둔덕이 그리워지네.
세상의 부귀는 한 번의 웃음거리인데
어찌 시끄럽게 명예를 찾아 분분하랴.

牟梁驛(모량역)

鄕心萬里久搖旌(향심만리구요정)

忽向家山振策行(홀향가산진책행)

遙嶺漸沈他界色(요령점침타계색)

亂流初放故園聲(난류초방고원성)

曾收斷梗隨風迹(회수단경수풍적)

持慰浮雲戀岫情(지위부운연수정)

世上榮枯堪一笑(세상영고감일소)

何須擾擾苦馳名(하수요요고치명)

『東京雜記』驛院

해설

고려 때 유명한 문인 김극기가 경주에 들렀을 때 남긴 작품이다. 그는 아화역-모량역-경주 문천-열박재-잉보역 등 발길이 미치는 곳마다 시를 지었다. 특히 아화역에서 '술잔 들고 더불어 말할 이 없으니 뜰 나무엔 녹음만 짙푸르구나.'(擧盃無與語 庭樹綠猗猗)라는 시는 복양(濮陽) 오세재(吳世才)와 헤어지며 남긴 것으로 알려지고 있다. 모량역은 경주부 서쪽 23리에 있다. 김극기가 고향으로 돌아가며 읊은 시로, 촌각을 다투며 말채찍을 더한다. 달려온 길보다 가야할 여정이 훨씬 더 멀지만 개울물은 벌써 고향소리다. 몸과 마음은 바람과 구름에 떠맡긴 채 쉬지 않고 내달린다. 덧 없는 세상의 영고성쇠(榮枯盛衰)를 돌이켜보니 참으로 쓴웃음이 난다. 그런데 나는 또 무슨 명예를 찾아 이리도 분주해야만 하는가. 역원에는 수많은 사람들이 바쁘게 움직인다. 나 역시 내 자신을 망각하고 저들과 다를 바 없음이 괜히 한스럽다.

78. 영묘사 화재 소식을 듣고

충재(沖齋) 권벌(權橃, 1478~1548)

팔백여 년의 절집이 불에 타 버리니
동경 옛 유물에 먼지만 뿌옇게 인다.
오도(吾道)가 이로써 융성을 말하지만
경각(經閣)은 어찌하여 잿더미가 되었는가?

聞靈妙災吟成一絶寄國卿金慕齋(문영재음성일절기국경김모재)

八百年餘佛殿災(팔백년여불전재)

東京舊物返黃埃(동경구물반황애)

人言吾道從玆盛(인언오도종자성)

經閣如何亦共灰(경각여하역공회)

『冲齋集』권1

홍륜사 정원

해설

시 한 수에 귀중한 사료(史料)가 고스란히 담겨 있다. 632년(선덕왕 1)에 선덕여왕이 창건했다는 영묘사에는 원래 3층 전우에 나무로 만든 부도와 감실이 있었다. 봉덕사에 있던 성덕대왕신종을 1460년(세조 5)에 영묘사로 옮겨 군사를 징집할 때 타종하다가 1507년(중종 2)에 봉황대 아래로 다시 옮겼다. 신종(神鍾)을 옮긴 지 8년 후인 1515년(중종 10) 정월 30일에 어떤 사람이 영묘사에 물건을 훔치러 들어갔다가 그만 불을 내고 말았다. 주(註)에 있는 말이다. 하마터면 신종이 큰 화를 입을 뻔했다. 영묘사는 지금 흥륜사로 알려져 있다. 이를테면 신종을 봉황대로 옮긴 8년 후 영묘사에 화재가 났던 것이다. 종래 영묘사에 화재가 나서 신종을 옮겼다는 말은 와전이었다. 화재 소식을 전해들은 권벌은 위의 시를 지었는데, 그는 봉화 닭실마을 청암정의 주인이다. 당시의 유학자들은 저마다 불교에 대해 배타성을 갖고 있었다. 사찰이 없어지면 불교를 믿는 사람이 줄어들 것이고 이로써 유학이 크게 융성할 것이라고 말한 이가 있다. 영묘사가 불타 버려 오도(吾道), 즉 유학의 융성을 기대하였지만 성균관 장서고인 경각에도 화재가 발생하여 전소되었으니, 이는 또 무슨 이유인가 하고 탄식하고 있다. 위 시와 관련된 원문을 모두 옮기면 다음과 같다.

乙亥元月三十日 聞慶州靈妙災 人疑偸銅者火焉 左道將滅 吾道之幸 然舊物何妨自存 存可以戒前王之荒失 不能無感 吟成一絶寄國卿 八百年餘佛殿災 東京舊物返黃埃 人言吾道從玆盛 經閣如何亦共灰 寺刱於貞觀五年 去年十二月 成均館尊經閣亦火 故及之

79. 백결 선생의 탄금대에서

해창(海蒼) 남기항(南基恒, 1809~1888)

금오산 볼 때마다 꿈길도 잦은데
선생의 탄금대엔 이끼만 짙구나.
바위 기운 차가우니 뼛속까지 맑고
방아타령 슬프지만 여읜 얼굴 웃는다.
삼한의 우주는 아직 남은 땅이 있고
육부의 번화가엔 뿌연 먼지 덮였다.
아! 세월 흘러 선생 성명을 잃었지만
지금도 지었으면 하는 아쉬움 남는다.

次百結先生彈琴臺韻(차백결선생탄금대운)

鰲山長望夢頻回(오산장망몽빈회)
百結琴臺千劫苔(백결금대천겁태)
石氣淸寒眞骨幻(석기청한진골환)
春歌凄婉瘦顔開(용가처완수안개)
三韓宇宙猶餘地(삼한우주유여지)
六部繁華盡暮埃(육부번화진모애)
可惜羅乘姓名闕(가석나승성명궐)
至今遺恨若爲裁(지금유한약위재)

『海蒼集』 권1

경주 낭산

해설

가난한 사람은 명절이 오면 더욱 곤궁함을 느낀다. 이웃 부잣집 굴뚝에 솟아오른 연기를 보면 그만 주린 배가 트림을 하고 만다. 백결 선생의 아내는 가난에 찌들어 사는 것도 한 두 해가 아니다. 남편에게 투정해 봐야 뾰족한 수가 없다는 것도 잘 알고 있다. 그러나 선달 대목이라 울컥하는 마음으로 곡식 한 톨 없음을 푸념했으나 남편은 언제나 그랬듯이 또 거문고를 끄집어내어 타기 시작한다. 바로 그 순간이다. 선생의 심지는 맑고 차가운 바위처럼 굳었지만, 방아타령을 탈 땐 여윈 얼굴에 미소마저 감돈다. 이 같은 선생의 높은 기상은 아직 삼한에 남아 있다. 그렇지만 그 화려했던 옛 서라벌의 거리에는 먼지만 자욱할 뿐이고, 선생의 성명마저 잃어서 더욱 아쉽다고 노래하였다. 백결 선생은 경주 낭산(狼山) 기슭에 살면서 춘추시대 영계기(榮啓期)라는 사람을 매우 흠모하였다.

80. 오릉에서

제암(霽巖) 최종겸(崔宗謙, 1719~1792)

창망한 문천 나무숲 속에
적막에 파묻혀 있는 옛 왕릉이여!
말에서 내려 비석을 읽고 나니
사당 앞에 해가 기울려고 한다.

五陵(오릉)

蒼茫江樹裏(창망강수리)

寂寞古王墳(적막고왕분)

下馬看碑罷(하마간비파)

祠前日欲曛(사전일욕훈)

『霽巖文集』권2

해설

오릉은 신라 시조왕 박혁거세능을 말하며, 경내에 시조왕의 위패를 모신 숭덕전(崇德殿)
이 있다. 숭덕전 전우는 1429년(세종 11)에 최초로 지어졌고, 1723년(경종 3)년에 숭덕전
으로 사액되었다. 동천에 경순왕의 위패를 모신 전우가 있었는데, 이때 경순왕묘(敬順王
廟)로 같이 사액되었다. 1751년(영조 27) 나라에서 명을 내려 시조왕 위패에 '왕(王)' 자를
쓰게 하고, 묘비를 세우게 하였다. 그리하여 1759년(영조 35)에 우참찬 정익하(鄭益河)가
지은 신도비가 건립되고, 1761년(영조 37)에 부윤 홍양호의 주선으로 비각이 세워졌다.
가물 때 기우제를 지내면 비가 내리고, 비신(碑身)이 땀을 흘리면 나라에 좋지 못한 일이
일어났다는 영이(靈異)한 비석이다. 또한 왕릉은 소나무를 보호하기 위해 금표(禁標)를
세워 일반인의 접근을 막았다. '간비파(看碑罷)'는 비문을 모두 읽었다는 말이다.

81. 만귀정에서 읊다

쌍봉(雙峯) 정극후(鄭克後, 1577~1658)

동도 수많은 물길이 형산강으로 들어오니
천 년의 쌓인 기운 이 고을을 지켜왔네.
뛰어난 승지는 그 사람 기다려 숨겨 두더니
이제 새 터에 정자를 세우고 창문을 열어본다.
차가운 못물과 맑은 하늘은 함께 푸르고
모래 언덕 위 흰 새는 짝을 지어 나는구나.
이러한 한없는 경치를 모두 나타내려 하지만
몸이 늙으니 어찌 훌륭한 글을 지을 수 있으랴.

題萬歸亭壁上 乙未(제만귀정벽상, 을미)

東南萬壑赴兄江(동남만학부형강)

淑氣千年蔭此邦(숙기천년음차방)

慳秘待人留勝境(간비대인류승경)

經營拓地啓晴窓(경영척지계청창)

寒潭秀色靑天一(한담수색청천일)

沙渚閒飛白鳥雙(사저한비백조쌍)

欲寫箇中無盡意(욕사개중무진의)

老來安得筆如杠(노래안득필여강)

『雙峯集』 권1

쌍봉 정극후 문집

해설

경주 강동면을 지나 포항방면으로 가면 유금터널이 있다. 지금은 수많은 차들이 쉴 새 없이 왕복으로 내달리고 있다. 터널 바로 북편에 동강서원이 있고 남쪽으로 형산강 건너 형산이 높이 솟았다. 경주에서 내려온 형산강 물은 이곳 형산과 제산 사이 협곡에 이르러 급물살을 타고 동해로 빠져나간다. 이곳 쌍 터널 가운데서 서남쪽으로 바라보면 장관(壯觀)이다. 경주의 크고 작은 수많은 갈래의 물이 모두 이곳으로 몰려든다. 강물은 푸른 하늘과 한 빛깔이고, 흰 모래 가에 한 쌍의 백조가 짝을 이뤄 날아든다. 동도의 승지로서 손색이 없다. 1650년(효종 1)에 장유량(蔣惟亮)이 지금의 터널 자리에 날아갈 듯 정(丁) 자 모양 정자를 짓고, 효종의 사부(師傅)를 지낸 정극후에게 정자 이름과 기문을 청하였다. 1655년(효종 6)에 이르러 정극후는 동도 물길이 모두 이곳에 모여 동해로 돌아간다는 '회만귀일(會萬歸一)'의 뜻을 취해 만귀정(萬歸亭)이라 이름 지었다. 이는 곧 주인장 장유량은 만인을 받아들일 수 있을 만큼 큰 인품과 덕행을 지녔다는 말도 내포하고 있다. 정극후는 정자 이름과 기문을 지었고, 아울러 정자 벽상에 걸어둘 시를 지은 것이 위의 글이다. 마지막 구 '필여강(筆如杠)'은 큰 붓이 깃대와 같이 움직인다는 말로, 곧 뛰어난 문장 솜씨를 이른다. 만귀정은 1904년에 화재로 소실된 것을 지금은 유금리 안 마을로 옮겨 새로 지었다.

82. 의풍루에서

가정(稼亭) 이곡(李穀, 1298~1351)

동도(東都) 문물이 아직도 화려한데
높은 누를 세우니 붉은 안개 감돈다.
허물어진 성곽엔 신라 때 고목이고
초라한 민가는 절반이 절집이구나.
주렴 걷으니 산 빛깔은 그림 같고
옥적 소리에 해는 아직 중천이네.
시 읊은 나 자신이 스스로 우스운데
다시 찾을 땐 번거로운 의식은 필요 없다오.

倚風樓(의풍루)

東都文物尙繁華(동도문물상번화)

更起高樓拂紫霞(갱기고루불자하)

城郭千年羅代樹(성곽천년나대수)

閭閻一半梵王家(여염일반범왕가)

珠簾捲盡山如畵(주렴권진산여화)

玉笛吹殘日未斜(옥적취잔일미사)

倚柱吟詩還自笑(의주음시환자소)

重來不必要籠紗(중래불필요롱사)

『稼亭集』권10

해설

이 시의 본래 제목은 '계림부공관서루시서(雞林府公館西樓詩序)'다. 계림부의 공관인 서루에서 시를 읊고 그 시에 대해 서문을 쓴다는 뜻이다. 이곡이 지은 의풍루기가 전하고 있다. 여기서 말한 서루(西樓)가 곧 의풍루(依風樓)다. 의풍루는 경주 객사 서쪽에 있었던 경주 관아의 중심 건물이며, 지금 경주경찰서 자리다. 고려 말 경주읍성 안에 유독 이 건물만 우뚝 솟았고 기타 관속이 머물던 곳이나 민가는 모두 낮은 초옥이었다. 이곳에 오르면 경주의 주변 산천이 한 눈에 조망되었다. 더구나 의풍루를 다시 지으니 단청 빛깔은 마치 붉은 안개가 덮인 듯하다고 읊었다. 마지막 구의 '농사(籠紗)'는 벽사롱(碧紗籠)으로, 명사가 시를 지어 벽에 걸어두면 이를 오래 보존하기 위해 청사(靑紗)로 덮어두었다. 곧 존경을 의미한다. 자신의 시를 이렇게 할 필요 없다는 말로, 겸손하면서 은근히 자긍심을 드러내 보이고 있다.

경주 객사 동경관(현재 모습)

83. 기녀 영매에 줌

청천(靑泉) 신유한(申維翰, 1681~1751)

(1)

시든 꽃이 여윈 대나무와 마주하니	殘花映瘦竹 (잔화영수죽)
늘그막 모습들 어찌 그리도 쓸쓸하오.	晚景何蕭灑 (만경하소쇄)
여윈 대나무가 아직 봄을 연모하여	瘦竹尙戀春 (수죽상연춘)
꽃을 좋아하나 그림의 꽃을 보는 듯.	愛花如見畫 (애화여견화)

(2)

온 천지가 짙게 침울한데	海山鬱蒼茫 (해산울창망)
수심에 찬 사람이 혼자 읊조린다.	愁人坐長嘯 (수인좌장소)
어쩌면 내 마음을 그리 씻어주는가	何以洗吾心 (하이세오심)
낡은 거문고가 옛 곡조를 지녔다네.	廢琴藏古調 (폐금장고조)

(3)

그대 뜻이 너무나 진중하여	感娘珍重意 (감랑진중의)
거문고 줄을 새것으로 바꿔 타누나.	貿絲作新絃 (무사작신현)
구월 십일 청명한 누각에	十日淸明閣 (십일청명각)
곡조 소리마다 개울물이 흐르는 듯.	聲聲幽澗泉 (성성유간천)

(4)

큰 줄은 종을 두드리는 듯	大絃如鼓鐘(대현여고종)
작은 줄에는 구슬이 구르는 듯.	小絃如憂玉(소현여알옥)
밝은 달이 높은 처마에 떠오르자	明月上高簷(명월상고첨)
온 천지에 거문고 한 곡이 맑구나.	海山淸一曲(해산청일곡)

(5)

비야(毗耶)³⁾의 한 방장 실에	毗耶一丈室(비야일장실)
아름다운 여인이 천화(天花)를 뿌린다.	天女散天花(천녀산천화)
꽃이 피었는가, 아직 못 피었는가?	試問花著未(시문화착미)
그대는 웃지만 나는 백발이 성성하다오.	娘笑儂鬢華(낭소농빈화)

(6)

그대는 본디 경주의 여인이라	娘是月城女(낭시월성녀)
신라어(新羅語)로 노래 부르누나.	歌用新羅語(가용신라어)
꿈속에 고운 선생을 만났더니	夢見崔阿飡(몽견최아찬)
거문고 안고 가야산으로 들어가네.	抱琴伽倻去(포금가야거)

---

3) 비야(毗耶) : 인도 비야리성(毗耶離城)의 장자로서 부처님의 교화를 도왔던 유마거사(維摩居士)를 말하는데,
   여기서는 작가 자신을 말하는 듯하다.

(7)

그 누가 가야산 늙은이를 보냈는가　　　　　誰遣伽倻翁(수견가야옹)
하얀 머리로 관아 난간에 앉았다.　　　　　　白頭坐縣舍(백두좌현사)
그대와 아름다운 배를 수선하여　　　　　　　約娘理蘭舟(약랑리난주)
창강에서 달 놀이 즐기자고 언약했었지.　　　弄月滄江夜(농월창강야)

(8)

술을 마시면 진탕 취하고　　　　　　　　　飮酒當盡醉(음주당진취)
거문고 타면 소리를 마쳐야지.　　　　　　　鼓琴當盡聲(고금당진성)
쇠잔한 꽃과 여윈 대나무가　　　　　　　　殘花與瘦竹(잔화여수죽)
젊은 시절 못 만남을 아쉬워하네.　　　　　共惜少年情(공석소년정)

『靑泉集』권2〈贈梅妓 幷引〉

해설

청천(青泉) 신유한(申維翰, 1681~1751)은 문과에 급제했으나 관운이 크게 열리지 못하였다. 그의 연보를 보면, 1745(영조 21)에 연일 현감으로 부임하였고, 1748년(영조 24) 가을에 경주 공도회(公都會)에 시험관 자격으로 왔다. 경주부의 기녀는 약 40명 가량 있었으나 '홍도(紅桃)' 등 극소수를 제외하고 문헌으로 전하는 이는 거의 없다. 그가 경주 악부에 들러 명기 영매(英梅)를 만난 것도 이 때다. 당시 신유한은 예순여덟 살이었고, 영매는 서른아홉 살이었다. 그가 지은 서문을 보면, 영매는 어려서부터 북과 거문고 및 가무로 유명했지만, 한 번도 신유한을 만닌 적이 없다. 그러나 기녀의 나이 근 마흔으로 좋은 시절은 지났다. 신유한이 익히 소문을 듣고 그녀를 만났을 때, 그녀는 헝클어진 머리에 빗질도 하지 않고 행색이 남루한 노기(老妓)였다. 신유한이 거문고 한 곡을 부탁하자, 그녀는 먼지 덮인 낡은 거문고를 끄집어내어 소맷자락으로 대충 닦았다. 그리고 줄을 고른 뒤에 「계림구보(雞林舊譜)」를 보고 두드렸는데, 그 소리가 매우 광대하면서 아름다웠다. 신유한은 그녀의 거문고 소리에 취했다. 즉석에서 오언절구 8수를 지어서 그 대가로 건네주고, 그녀에게 자신이 지은 시를 거문고 곡에 맞춰 노래 부르게 했다. 그리고 신유한은 "네가 시를 배우지 못했으니, 어찌 내 젊은 시절의 성조를 알겠는가. 안타깝게도 내 이미 늙었고, 그대 또한 노쇠한 것은 슬프구나."[4]라고 하였다.

이 시에서, 신유한은 자신을 나이 예순여덟이라 해서 깡마른 대나무 곧 수죽(瘦竹)으로, 영매 역시 서른아홉의 늙은 기녀라는 뜻으로 쇠잔하게 시든 잔화(殘花)로 표현하였다. 일찍이 만난 적이 없지만 명성을 듣고 있었다. 신유한이 영매를 만나보니, 그 행색은 매우 초초했다. 그러나 그와 더불어 얘기를 나누자 소통되는 바가 깊었고, 특히 그는 고금(鼓琴)과 가무에 매우 뛰어났다. 거문고 소리와 노래가 아름답게 울려 퍼질 때마다 마음은 한층 더 고조되었다. 특히 그는 아직 젊은 봄날을 생각했지만, 실제로 영매는 그림의 꽃이었다. 신유한은 아무런 보답을 해 줄 것이 없었다. 그리하여 8수의 시를 지어 주면서 자신의 늙음을 안타까워하며 지음(知音)이라 스스로 위로하였다.

---

4)月城妓英梅 少以善鼓琴歌舞有名 與余曾無晤眺之緣 及見之 問其年 則三十九 村鬢不櫛 裙帶楚楚 惜其遇之晚也 余今六十外矣 髮縞齒墮 已與鈿黛分疎 廢琴橫牀 塵徽剝落 娘爲袖拂之 貿絲改絃 驟彈雞林舊譜 洋洋乎美矣 余賦八絶句 以當纏頭 使郎趣絃而歌之 曰爾不學詩 安知我少年聲乎 旣悲吾老 且憐娘衰.

『青泉集』권2 贈梅妓 幷引

앞서 서문을 보면, 「계림구보(雞林舊譜)」가 경주 악부에 있었다고 기록하였다. 이것이 언제 만들어졌으며, 몇 곡이나 수록되었는지 모른다. 또한 구보가 있었다면, 근래 지어진 신보(新譜)도 있었다는 말이다. 경주 악부의 소재는 거의 신라 인물 중심이었다. 김종직의 「동도악부」 7수는 구보로, 이후 수록된 악보는 신보로 간주할 수 있지만, 단정할 수는 없다. 그리고 영매는 젊은 기녀와 달리 신라어(新羅語)로 노래를 불렀다고 했다. 당시 악부에서 신라어와 현대어가 구별되어 있어서 상황에 따라 따로 불렀을 가능성이 있다. 그렇다면 신라어와 현대어는 어떤 차이가 있었는지, 아쉽지만 규명할 방도가 없다. 또한 고운 최치원이 거문고를 안고 표연히 가야산으로 들어가는 내용의 시가 있다. 신유한은 고운의 고상한 뜻을 흠모하여 꿈에서 만났다고 하였다.

한편 진사 흥륜(興倫) 김예갑(金禮甲, 1673-1742)이 '거문고를 타는 기생에게(贈琴妓)' 준 시가 있는데 여기 '금기(琴妓)'는 아마 위 시의 영매일 것이다. 아울러 같이 싣는다.

경주 악부의 여인들(1915년)

거문고를 타는 기생에게

홍륜(興倫) 김예갑(金禮甲, 1673~1742)

본디 거문고는 최고의 명성을 떨쳤는데
다섯 줄 두드리는 손놀림은 옛과 같구나.
달 밝은 깊은 밤에 청아한 곡조는
젊은 시절 못다 한 정을 호소하는 듯.

贈琴妓(증금기)

曾擅琴中第一名(증천금중제일명)
五絃指下舊時聲(오현지하구시성)
夜深明月淸商曲(야심명월청상곡)
似訴靑年不盡情(사소청년부진정)

『興倫文集』권1

84. 월성회고

허새(虛齋) 최남중(崔南重, 1674~1740)

어느 왕과 비의 무덤인지 모르지만
안개 속의 봉분이 높고 낮구나.
천년 왕조가 망한 깊은 회한을
석양의 목동 피리에 불어 보낸다.

月城懷古(월성회고)

不識何王何后墓(불식하왕하후묘)
蒼梧雲裏互嵯峨(창오운리호차아)
千年三姓崩淪恨(천년삼성붕륜한)
摠入斜陽牧竪歌(총입사양목수가)

『虛齋集』권1

해설

왕릉인지 귀족의 무덤인지 알 수 없다. 비석은 물론 호석도 없고 비보하는 도래솔도 없다. 그저 황량한 들녘이나 민가 사이에 어지럽게 높고 낮게 솟았다. 애초 풍수에 관한 설은 무의미하다. 그 위치 또한 아무렇게나 있어서 무질서하기 이를 데 없다. 더구나 이 같은 무덤은 사람들이 가장 북적대는 중리(中里) 곧 황남동 일대에 자리하고 있지 않는가? 황남동은 신라시대에도 역시 번화한 중심 시가지다. 신라 천년을 생각할수록 회한으로 가슴이 저민다. 신라는 왜 망했으며, 왕손은 지금 어디 있는가? 그 진적(陳跡)마저 찾으려 해도 티끌만 뿌옇게 일어날 뿐이다. 해는 서산에 걸렸지만 외로운 나그네의 발길은 돌아갈 줄 모른다. 그 무렵 어디서 목동의 풀피리 소리가 처량하게 들린다. 이 곡조가 허공에 메아리치며 사라지는 것과 덧없는 인간사가 무엇이 다를 바 있겠는가. 창오는 창오산(蒼梧山)이다. 순임금의 무덤이 있던 산으로, 여기선 신라 왕릉을 말한다. 작가 최남중은 경주 중리에 실았다. 힉문이 깊고 특히 역학에 조예가 깊었다.

첨성대에서 계림을 통해 월성으로 가는 길

85. 내상 왕융에게 드리다

동경노인(東京老人 : 생졸미상)

마을에는 충과 효의 정표가 빛나고
산골짝마다 은자 찾느라 시끄럽구나.
옛날 주나라 노인은 따라가지 못했지만
한나라 의례를 새로 보게 되어 다행이네.

獻內相王融(헌내상왕융)

閭閻光彩旌忠孝(여염광채정충효)
丘壑喧傳訪隱淪(구학훤전방은륜)
縱昔未隨周老往(종석미수주로왕)
幸今親覩漢儀新(행금친도한의신)

『補閑集』上

해설

신라가 망한지 근 60여 년 후인 997년(고려 성종 16) 8월의 일이다. 성종이 신료를 거느리고 동경에 행차했다. 고려와 조선의 근 천 년을 통해 경주를 직접 찾은 임금은 성종과 1281년 6월의 충렬왕 뿐이다. 성종은 한 달간 머물렀는데 경주가 발칵 뒤집어졌다. 동경에 온 이유는 전조(前朝)의 백성들을 위로하고 회유하려는 의도였을 것이다. 초야에 묻힌 어진 사람을 찾게 하고, 충신과 효자에게 정문(旌門)을 내리며 잔치를 베풀었다. 성명을 잃은 동경노인(東京老人)이 있었다. 그는 고려에 귀화하자는 많은 사람의 권유에도 불구하고 신라 유민으로 남겠다는 절의의 선비다. 임금의 행차를 직접 목도한 그는 당시 재상 왕융(王融)에게 2편의 시를 지어 보냈는데, 그 중 한 수가 위의 시다. 주로(周老)는 은나라 말의 충신 백이와 숙제이고, 한의(漢儀)는 한나라 고조 때 상산사호(商山四皓)를 일컫는 말로, 성종이 나라의 어진 이를 찾아 표창하려는 뜻을 높이 기리고 있다. 자신이 이제(夷齊)의 충절에는 미치지 못하지만 그래도 치세를 맞아 다행이라고 읊었다. 이 시의 제목

고려 명종 때 효자 손시양(孫時揚)의 정려비(1182년 건립)

은 「가행동도헌왕내상융(駕幸東京獻王內相融)」이다. 성종은 경주에서 다시 울산 태화루를 찾았다. 더위에 무리한 여행이었던지 병환으로 서둘러 환궁했다가 그 해 10월에 38세의 일기로 죽었다.

86. 입춘일에 불국사에서

명암(銘巖) 최남도(崔南圖, 1674~1732)

아래는 청련암이고 위에는 백련암
두 암자 기적은 누구나 모두 안다네.
본래 모습 찾아가는 곳마다 잿더미니
호기에 석 잔 마시고 질탕 취했다오.

立春遊佛國寺(입춘유불국사)

下有靑蓮上白蓮(하유청련상백련)
兩庵奇蹟一般然(양암기적일반연)
探眞處處灰塵念(탐진처처회진념)
豪興三盃任醉顚(호흥삼배임취전)

『銘巖集』권1

해설

임진왜란 이전에 불국사의 모습은 어떠했을까? 숭유억불의 정책에도 선비들의 식자들을 비롯해서 민초들의 불심은 쉽게 꺼지지 않았다. 임란 때 대웅전과 극락전 등 2천여 칸이 전화로 소실되었다고 '불국사고금창기'에 기록되어 있다. 당시 불국사의 규모가 어느 정도였는지 가늠할 수 있다. 1659년(효종 10)에 대웅전은 중창되었고 비로전 등 기타 건물의 공사는 지속되었다. 또한 1681년(숙종 7)에 인현왕후 민씨는 불정(佛幀)과 금작(金酌) 등 많은 귀중품을 하사했다. 하지만 장엄하고 웅장했던 본래의 모습을 되찾지는 못하고 아직 텅 빈 곳이 많았다. 절집의 흥망성쇠도 예외는 아니었다. 생각이 여기에 미치자 호기가 발동하고, 마침내 술에 취해 고주망태가 되어 고꾸라지고 말았다. 불국사의 덧없음을 '삼배(三盃)'에 의탁하여 읊은 작가의 글 솜씨가 돋보인다.

87. 매월사에서

갈산(葛山) 권종락(權宗洛, 1745~1819)

매월당 사당에서 하룻밤 묵으니
창가에 매화가 한 그루 피었다.
달은 밝고 온 산이 적막한데
지사는 잠 못 이뤄 서성거린다.

梅月祠(매월사)

來宿先生祠(내숙선생사)
窓前一樹梅(창전일수매)
月明山寂寂(월명산적적)
志士獨徘徊(지사독배회)

『葛山集』권1

해설

매월당(梅月堂) 김시습(金時習, 1435~1493)이 스물한 살 때 북한산에서 공부하다가 수양대군이 조카 단종을 몰어내고 왕위를 찬탈했다는 소식을 전해 들었다. 그는 방으로 들어가 사흘 동안 나오지 않다가 그만 목 놓아 통곡을 했다. 보던 서적을 몽땅 불에 태워버리고 양광(佯狂)해 버렸다. 뒷간에 빠져 오물을 뒤집어쓰고 나오더니, 머리를 깎고 중으로 변신했다. 그때 그의 호기 설잠(雪岑)이다. 행낭을 하나 메고 운수(雲水)가 흐르듯 발길이 닿는 대로 걷는다. 공부를 하고 과거에 급제하려는 목적은 나의 이상과 포부를 펼쳐 보고자 함이다. 그런데 나를 알아줄 이는 이제 이 세상 어

디에도 없다. 명분과 정통성을 잃으면 군왕도 필부에 지나지 않는다. 내 어찌 그를 섬길 수 있겠는가? 10년간 유람한 끝에 경주 금오산 용장사에 정착한 것은 1465년(세조 11) 봄이다. '금오신화' 등을 저술하며 6년 간 있다가 서울로 올라갔지만 그가 남긴 자리에 경주 선비들이 매월당 영당을 건립하여 추모하였다. 그의 곧고 맑은 절의의 상징은 달 밝은 밤의 매화다. 그를 생각할수록 잠을 이룰 수 없다.

기림사 경내 매월당 영당

88. 양진암에서

근사재(近思齋) 박계현(朴啓賢, 1524~1580)

소박한 정자 물가에 우뚝 섰는데
오랜 벼슬을 그만두고 이곳에 숨고 싶구나.
회재 선생이 직접 심은 소나무와 대나무는
온갖 풍상 겪으며 몇 년이나 지났던고?

養眞菴(양진암)

朴素溪亭壓水頭(소박계정압수두)
十年心計一菟裘(십년심계일토구)
當時手種松兼竹(당시수종송겸죽)
戰勝風霜閱幾秋(전승풍상열기추)

『東京雜記』권3

독락당의 계정(溪亭)은 아무런 꾸밈없이 소박하기
이를 데 없다. 개울가 자연석 위에 길고 짧은 기둥
을 세워 얽어 세운 정자다. 본디 자연이란 있는 그
대로의 모습이다. 계정은 산과 개울 그리고 정자
가 한 폭의 그림에 담은 듯 조화의 극치를 보여주
고 있다. 회재 이언적이 독락당에 은거할 때 계정

퇴계 이황 글씨

을 짓고 그 곁에 두 칸 방을 달아낸 후 양진안이라 불렀다. 정혜사의 승려들이 간혹 이곳
에 머물기도 했다지만 자연에 묻혀 존양(存養)하고자 하는 마음이었을 것이다. 인지헌(仁
智軒)의 편액이 그를 뒷받침하고 있다. 또 눈여겨보아야 할 것이 더 있다. 양진암(養眞庵)
의 글씨는 퇴계 이황이, 계정과 인지헌은 석봉 한호가 각각 썼다. 전후와 측면에 걸린 이
들 편액도 역시 계정의 한 자연이다. 박계현이 독락당의 16영(詠)을 노래한 가운데 한 수
가 위의 시다. 노나라 은공이 토구(菟裘)라는 곳에서 늘그막을 보내고 싶다고 한 데서 유
래한 것으로, 벼슬을 그만두고 은거할 의지를 나타낼 때 쓰는 말이다. 회재가 수식(手植)
했다는 송죽의 현재 모습은 어떨까?

독락당 계정

89. 신라

양촌(陽村) 권근(權近, 1352~1409)

까마득한 옛날 박혁거세가
오봉 원년에 나라를 열었습니다.
천 년 동안 오랜 왕위를 전승하다
겨우 한쪽 구석의 땅을 보전하셨지요.
계림의 땅을 고려에 바친 이후
곡령 하늘 아래 조회하였습니다.
한 가락 이어져 온 셋 왕성의 제사마저
영원히 끊어져 참으로 애닳습니다.

新羅(신라)

伊昔赫居世(이석혁거세)

開邦五鳳年(개방오봉년)

相傳千歲久(상전천세구)

粗保一隅偏(조보일우편)

却獻雞林土(각헌계림토)

來朝鵠嶺天(내조곡령천)

綿綿三姓祀(면면삼성사)

永絶正堪憐(영절정감련)

『陽村集』應製詩 권1

해설

1396년(태조 5) 9월 22일에 태조 이성계는 권근에게 단군조선 등 우리나라 고대 국가에 대해 시를 지으라고 명하자, 권근은 10수를 지어서 바쳤는데 그 가운데 한 수가 위의 시다. 왕명으로 지은 시를 응제시(應制詩)라 하며, 이때 제(制)는 왕명을 뜻한다. 『양촌집』에는 이 시가 「명제십수(命題十首)」에 실려 있다. 박혁거세가 개국한 것은 한나라 선제 오봉 원년(五鳳元年, 기원전 57)이다. 신라가 천 년 사직을 지켜왔지만 그 영토는 우리나라 한 모퉁이에 지나지 않았으며, 나라가 망한 후 곡령, 곧 고려의 천지가 되었다. 고려시대에 이르러 박혁거세를 비롯하여 삼성의 시조왕 등 신위나 영정을 모신 전우(殿宇)나 사당이 경주에 있었다. 그곳이 어딘지 알 수 없지만 해마다 시제(時祭)를 지냈으며 고려 말에 이르러 이들 제사마저 끊어져 안타깝다고 읊었다. 이후 1429년(세종 11)에 박혁거세의 전묘를 창설하였고, 세조 때 경순왕 영당이 동천에 있었다는 기록이 있다. 경주 삼전(三殿)의 전신이 고려시대에도 있었음을 이 시에서 분명히 밝혔다.

90. 봉덕사 종

매월당(梅月堂) 김시습(金時習, 1434~1493)

박 씨와 석 씨가 이미 몰락하자
김 씨가 임금이 되었다.
말엽 23대 법흥왕 때
서방에서 묵호자가 왔다네.
인연과 화복의 논설로써
법흥왕을 만나기를 청하였다.
절은 민가보다 배나 컸었는데
백성들 구제 받기를 바랐었다.
그 후 혜공왕 대에 이르러
동천 물가에 절을 지었는데
그 절집 오래가지 못했지만
신종은 누대보다 더 웅대했지요.
어찌 조정 신하의 간함이 없었으랴
다만 천당을 좋아하는 인연이었네.
절간 무너져 자갈밭에 묻히자
신종은 그만 가시덩굴에 버려졌다.
주나라 석고(石鼓)와 흡사하여
아이들이 두드리고 소는 뿔을 가는구나.

훌륭한 부윤 김담(金淡)은
정사가 공평하여 소송마저 없는데.
신종을 애호하는 마음 깊어
영묘사 곁에 옮겨서 매달았다.
큰 물건은 신이 만드는 것
천고에 이는 얻을 수 없다네.
웅웅하며 큰 골짜기를 울리고
은은히 바다 고래가 부르짖듯.
경주는 변방에 있는 지방으로
군사들은 천 명이나 헤아리지.
땅은 넓고 산이 또 가로막혀
군사를 징집할 때 이것이 적합했다.
맑은 종소리가 온 고을에 울려 퍼지자
사람들은 부윤의 현명함에 놀랐다.
내가 신종 명문을 읽어보니
천고의 뜻을 상상할 수 있었다.
손으로 만져보며 길게 한숨을 쉬고
그 정교함은 내가 평가할 일 아니로다.

奉德寺鍾(봉덕사종)

二姓旣已沒(이성기이몰)　　金氏方主張(김씨방주장)

末葉卄三代(말엽입삼대)　　墨胡來西方(묵호내서방)

因緣禍福說(인연화복설)　　求謁法興王(구알법흥왕)

創寺與閭倍(창사여염배)　　冀作民津梁(기작민진량)

厥後惠恭王(궐후혜공왕)　　營寺東川傍(영사동천방)

招提久莫量(초제구막량)　　鍾大逾魯莊(종대유노장)

豈無曹劌諫(기무조귀간)　　只緣喜天堂(지연희천당)

寺廢沒沙礫(사폐몰사력)　　此物委榛荒(차물위진황)

恰似周石鼓(흡사주석고)　　兒撞牛礪角(아당우려각)

府尹金公淡(부윤김공담)　　政平無訟牒(정평무송첩)

斯出餘慶心(사출여경심)　　置之靈廟側(치지영묘측)

巨物神所攜(거물신소휘)　　千古不可得(천고불가득)

雄雄巨堅響(웅웅거학향)　　隱隱吟蛟鯨(은은음교경)

慶州邊圉地(경주변어지)　　士卒千其名(사졸천기명)

域廣山又隔(역광산우격)　　其用宜發兵(기용의발병)

懸簴鎭一鄕(현거진일향)　　人慕公之明(인모공지명)

我來讀其銘(아래독기명)　　可想千古情(가상천고정)

撫之一太息(무지일태식)　　工媸非所評(공치비소평)

『梅月堂詩集』권12, 詩, 遊金鰲錄

해설

매월당(梅月堂) 김시습(金時習, 1435~1493)이 31세 되던 1465년(세조 11) 봄부터 경주 금오산 용장사에 금오산실(金鰲山室)을 짓고 살다가, 6년 후 1471년(성종 2)에 서울로 떠났다. 그가 경주에서 남긴 「유금오록(遊金鰲錄)」 중에 봉덕사종(奉德寺鍾) 시가 있다. 신종에 대해 중요한 사료 두 가지를 제시하고 있어서 주목된다. 먼저 이 시에 난해한 문구가 있다. '묵호(墨胡)'는 신라에 최초 불교를 전파한 묵호자(墨胡子)이고, '진량(津梁)'은 중생을 구제한다는 뜻이다. '노장(魯莊)'은 노나라 장공(莊公)이 크게 지었다는 대(臺)이고, '조귀(曹劌)'는 역시 노 나라 장공 때 사람으로 임금의 잘못을 간한 사람이다. 내용상 크게 두 단락으로 나눌 수 있다.

첫째 단락은 다음과 같다. 혜공왕이 동천 곁에 절을 짓고 신종을 만들어 매달았다. 그렇지만 절이 무너져 폐사되자, 신종은 거친 풀숲 속에 파묻히고 말았다. 신종의 운명은 주(周)의 석고(石鼓)와 흡사하다. 아이들이 장난삼아 종을 두드리고, 풀 뜯는 소가 간혹 뿔을 갈아도 관리하는 사람 없이 북천 가에 방치되었다. 주나라 석고는 동주(東周) 초에 만들어진 진(秦)나라의 석조물로, 10여 개 북 모양의 돌에 주문(籀文)이 새겨져 있다. 이것이 땅에 묻혔다가 당(唐)나라 초기에 출토되었다. 매월당이 신종을 석고와 같다고 말한 까닭은 무엇일까? 봉덕사가 폐사된 후에 신종은 토사 또는 거친 잡초 속에 파묻혀 있었다. 봉덕사 종각이 허물어진 채 적어도 근 백여 년간 세월이 흘렀을 것이다. 그 사이에 신종은 문헌에만 남겨진 기물(棄物)이었고, 꼴 베는 아이들의 놀이터 대상물에 지나지 않았다. 매월당이 경주를 찾았을 때 신종이 재발견되었으므로, 이를 석고에 비유해서 읊었던 것이다.

둘째 단락은 부윤 김담(金淡)부터다. 그가 부임하여 이렇게 버려진 신종을 발견하고 영묘사(靈妙寺)로 옮겼다. 그런데 그가 영묘사로 이건한 것은 신종을 보호하기 위해서가 아니었다. 경주진(慶州鎭)에 속한 병사는 근 천여 명이었다. 이들은 경주 변두리에 흩어져 있어서 징집할 때 두루 알리기가 쉽지 않았다. 그리하여 신종을 옮겨와 이들을 징집할 때 사용할 목적이었다. 신종의 역사는 기구하였다. 매월당은 폐사된 봉덕사에 있을 때의 신종 종명은 읽지 못하고, 영묘사로 옮긴 후에 읽었다고 기술하였다. 이를테면, 매월당이 경주에 왔을 때에는 신종이 봉덕사에서 영묘사로 이봉되었음을 이 시에서 증명하였다. 『동경잡기』에 신종을 봉덕사에서 영묘사로 이봉한 연도는 1460년(세조 6)이라고 기록하였다. 매월당이 경주에 내려와 금오산실(金鰲山室)에 은거한 해는 31세 때인 1465년(세조 11) 봄이다. 매월당이 20대 후반 호남 등지를 유람하고 경주를 찾은 것은 이보다 한두 해 앞선다. 그가 경주에 와서 몇 해 머물다 금오산실에 정착했다는 말이다. 경주부윤 김담은 1458년에 부임하여 1463년까지 재임하였다. 요컨대 위 시를 보면 매월당은 봉덕사에서 영묘사로 신종을 이봉할 때 직접 본 듯하기도 하고, 부윤 김담을 직접 만났을 수도 있다. 이 시는 아마 1463년 전후에 지은 것으로 추정할 수 있다.

경주문화원 경내 성덕대왕신종 종각

91. 이사부

용와(慵窩) 이홍리(李弘离, 1701~1778)

말놀이라 속여 가야국을 무찔렀고
나무 사자를 싣고 가서 울릉도를 평정했다.
당시 신라가 넓은 땅을 차지했는데
그 공훈의 절반은 장군이 이룬 것이네.

異斯夫(이사부)

戱馬旣屠伽子窟(희마기도가자굴)
載獅更掃鬱陵氛(재사갱소울릉분)
新羅當日開疆遠(신라당일개강원)
半是將軍敵愾勳(반시장군적개훈)

해설

『삼국사기』권44 열전(列傳)에 신라 진흥왕 때의 장수 이사부(異斯夫) 기록이 있다. 그는 말을 타고 놀이하는 척하며 속여 가야국을 무찔렀다. 또 우산국(于山國) 사람들은 완강하여 쉽게 다스릴 수 없었다. 이사부는 나무로 만든 사자를 배에 싣고 가서 저들을 위협하여 항복을 받았다. 우산국은 지금의 울릉도다. 신라는 가야국과 울릉도 등 크고 작은 나라를 복속시키고 영토를 넓혔다. 따라서 신라가 넓은 땅을 차지할 수 있었던 그 공적의 절반은 이사부의 몫이라고 위의 시에서 평가했다. 작가 이홍리는 경주 기계면 사람이다. 그는 경주지역의 역사와 문화유적에 대해 많은 시문을 남겼다. 『동도잡영(東都雜詠)』27수에는 금척원(金尺院), 표암(瓢巖), 단석산(斷石山) 등이 있고, 『동도인물찬(東都人物贊)』에서 10명을 꼽아 읊었다. 동도 인물이라고 하지만 실제는 모두 신라시대 인물이다.

92. 감은사에서

봉려(蓬廬) 김철우(金哲佑, 1569 - 1653)

푸른 바다 깊은 은혜 끝이 없는데
가람을 창건하여 자식 도리 다했구나.
용과 사람 모두 떠난 천 년 세월 흐르고 흘러
허공에 솟은 쌍탑만이 홀로 의연하구나.

感恩寺(감은사)

恩深滄海感終天(은심창해감종천)
爲刱伽藍孝慕全(위창가람효모전)
龍去人亡千載後(용거인망천재후)
插空雙塔獨依然(삽공쌍탑독의연)

『蓬廬公遺稿』 권1

해설

감은사에 대한 시는 거의 찾아볼 수 없다. 간혹 조선시대 선비들의 기행문에서, 기림사를 둘러보고 이건대로 가기 위해 감은사를 지나쳤다. 웅장하고 거대한 쌍탑이 하늘 높이 솟아 있음을 보았지만 별로 글로 남기지 않았다. 더구나 문무왕의 유언에 따라 아들 신문왕이 창건했다는 감은사는, 낳아주시고 길러주신 부모의 은혜에 보답한다는 '감은(感恩)'의 의미가 담겨있지 않는가? 감은사 바로 아래 용당(龍塘)에서는 항상 굿판이 벌어졌다. 바다로 나간 어부의 조난은 예로부터 잦았고, 그 신을 맞아들여 진위(鎭慰)해 주었던 곳이 용담이다. 이러한 무속 행위를 음사(淫祀)라고도 한다. 아마도 감은사는 음사로서의 이름이 알려졌기 때문에 시문의 대상이 아니었을 수도 있다. 이 시가 실린 『봉려공유고』는 김철우의 후손들이 소장하고 있는 유고본이며, 아직 판본으로 간행되지 않았다. 깨끗하게 정서한 이 책에는 경주 고적에 대한 다수의 시가 실려 있다.

93. 옛 무덤에서

치암(癡庵) 남경희(南景羲, 1748 - 1812)

여기저기의 옛 무덤들
적막한 산 잡초에 묻혔다.
백양이 부러져 몇 가지만 남았는데
가을바람은 쓸쓸하게 불어오누나.

古塚(고총)

纍纍古人塚(누루고인총)
空山荒草裏(공산황초리)
白楊半無枝(백양반무지)
秋風吹不已(추풍취불이)

『癡庵集』권1

언젠가 어느 외국인이 고적을 둘러보고 있었다. 경주에서 보고 느낀 바가 무엇인가를 물으니, 그는 대뜸 종이를 끄집어내더니 엎어놓은 듯한 바가지 모양을 자꾸 그렸다. 바로 황남동 일대 고분군이었다. 시민과 더불어 공존하고 있는 이들 고분이 그에게 강한 인상을 주었던 것이다. 중국에는 공자 무덤인 공림(孔林)을 비롯해서 봉분과 묘역에 자란 수목을 베지 않는다. 무덤에 나무가 무성하게 자라 하늘을 덮으면 묘소 관리를 잘한 것이고, 잔디만 뽀얗게 자란 것은 주인을 잃은 무덤이다. 우리나라의 분묘 관리와는 정반대 개념이다. 우리나라에서는 예로부터 묘역에 소나무를 심어두고 이를 도래솔이라 했지만 중국에서는 백양(白楊)을 심었다. 곧 백양나무 가지가 부러져 자라지 못한다는 말은 찾아오는 후손이 없는 고분을 일컫는다. 가뜩이나 잡초에 묻힌 적막한 무덤인데 가을 바람까지 쓸쓸하게 불어오니 더더욱 소슬하다. 백양은 황철나무, 사시나무, 포플러 등 버드나무과에 속한다.

94. 멀리 남산을 바라보며

둔옹(遁翁) 한여유(韓汝愈, 1642~1709)

무더운 여름 송림 없어 아쉽긴 해도
새벽이면 돌아온 백운이 있어 기쁘다.
풀과 나무들 무성함만 늘 바라보니
사물과 나의 정(情)은 바로 일반이구나.

悠然見南山(유연견남산)

夏日恨無松檜鬱(하일한무송회울)
淸晨欣有白雲還(청신흔유백운환)
惟看草木多榮茂(유간초목다영무)
物我之情正一般(물아지정정일반)

『遁翁集』권1

해설

경주 남산은 보는 방향에 따라 그 모습이 다르지만 금오봉과 고위봉의 산세가 가장 잘 보이는 곳은 아마 내남면 망성이나 두릉(杜陵)일 것이다. 내리뻗은 능선에 솟은 고위봉이 금오봉보다 더 높음을 이곳에서 볼 수 있다. 더구나 둥근달이 떠오를 땐 너무나 아름다워 남산의 진면목(眞面目)은 이것이 아닌가 생각이 들 정도이다. 이 시의 저자 한여유는 바로 두릉리에 살았다. 그는 조선 중기의 유학자로, 특히 역학에 밝았다. 남산은 이미 앙상한 바위만 드러낸 채 헐벗은 지 오래되었다. 그렇지만 이따금 구름이 찾아와 머물고 있어서 즐겁다. 한여름에 짙게 우거진 초목에는 생기가 넘친다. 잎은 푸르고 가지는 길게 뻗었다. 천리유행(天理流行)이 어디 따로 있는가. 각기의 모습을 지니고 자신에게 주어진 몫을 다하는 것이다. 자연의 이치를 알고 더불어 즐기는 것이 물아(物我)의 동화이다. 제목은 동진시대 도잠(陶潛)의 「잡시(雜詩)」에 보이는 '채국동리하 유연견남산(採菊東籬下 悠然見南山)'에서 취했다.

95. 동도회고

장일(張鎰, 1207~1276)

사백 년 전 장수와 재상의 집들
웅장한 누대 짓고 얼마나 자랑했던가.
지금 그 화려했던 모습을 뉘에게 물을꼬?
들살구 복숭아꽃만이 이슬에 젖어 있네.

東都懷古(동도회고)

四百年前將相家(사백년전장상가)
競開樓榭幾雄誇(경개루사기웅과)
只今繁麗憑誰問(지금번화빙수문)
野杏桃花泣露華(야행도화읍로화)

『東文選』권20

해설

본래의 시제는「동도회고 김찰방운(東都懷古金察訪韻)」이다. 사백 년 전 신라의 수도 동도(東都)에는 지금과는 딴 세상이었다. 붉은 관복 자락에 아홀(牙笏)을 비켜 찬 고관들은 약속이나 하듯 고대광실의 집을 지었다. 뉘는 집안에 연못과 정자를 지었다는 소문이 있고, 뉘는 집 높이가 궁궐에 버금간다는 말들이 나돌았다. 그러나 신라는 망하고 덧없는 세월이 흐르자 이들 왕후와 장상(將相)의 대저택은 잡초더미 속에 묻히고 말았다. 뉘가 어디 살았는지 물을 데가 없다. 전설에 아무개 재상이 손수 심었다는 살구나무와 복숭아나무에도 어김없이 봄은 찾아왔다. 때를 만난 초목은 시절을 알 턱이 없다. 그 아름답고 화려한 꽃을 보면 볼수록 깊은 시름이 더해지는 이유는 무엇일까? 신라 회고시는 경주지역 문사들도 많이 지었지만 관원(官員)으로 내려와서 읊은 글도 상당수 있다. 경주는 웅부(雄府)다. 문과에 급제한 고관들이 부임해 왔으므로, 이들의 시문 역시 격조가 높다. 위시의 작가 장일 역시 경상도 안찰사(按察使) 시절에 지었다.

경주 북천냇(1933년)

96. 선도산의 꾀꼬리 소리를 듣고

남애(南厓) 이두원(李斗遠, 1721~1782)

중국에서 오신 성모(聖母)가
선도산에서 신선되어 떠났다네.
맑은 향기 아직도 남아
푸른 숲에 꾀꼬리 소리 아름답구나.

仙桃流鶯(선도류앵)

聖母來中國(성모래중국)
桃岑去作仙(도잠거작선)
淸香猶不歇(청향유불헐)
鶯語碧樹妍(앵어벽수연)

『南厓集』권1

해설

한나라 때 어느 황제가 사소(娑蘇)라는 딸에게 명하여 배를 타고 동해에 들어가 신선술을 배워 오도록 했다. 그녀는 경주 선도산에 와서 오랫동안 머물러 있다가 마침내 신선이 되었다. 그런데 그녀가 나정 가에서 알을 낳으니 바로 혁거세이며, 시조왕의 어머니가 성모(聖母)다. 중국 사람들은 매양 '선도산의 성모가 훌륭한 사람을 낳아 나라를 세웠다.'라고 말했던 것이 그것이다. 임란 이전까지 선도산 정상에 성모사(聖母祠)가 있었다. 『동경잡기』에 있는 글이다. 바위에 '성모유지(聖母遺址)'라 새겨놓은 글이 지금도 있다. 신선은 복숭아를 먹는다는 설이 있다. 그리하여 장생불사, 선계(仙界)를 말하면 무릉도원처럼 곧잘 복숭아를 말한다. 이 같은 성모사의 전설에 의해 선도산(仙桃山)이란 이름이 지어졌다. 선도산에 아직 성모의 맑은 향기가 다 가시지 않았다. 푸른 나무 숲속에 짝을 지은 꾀꼬리 소리는 예나 지금이나 다를 바 없이 아름답다.

97. 수운정에 머물다

묵간(默澗) 조정(趙靖, 1555~1636)

언젠가 우연히 댓숲 서쪽 마을에서 만나
술잔을 앞에 놓고 물과 구름을 논하였지.
오늘 이곳 풍광에서 그대는 보이지 않고
온 산에 가을 국화의 향기만 가득하구나.

宿水雲亭(숙수운정)

憶曾奇遇竹西村(억증기우죽서촌)
吃吃樽前說水雲(흘흘준전설수운)
今日風光君不見(금일풍광군불견)
漫山秋菊自清芬(만산추국자청분)

『默澗集』권1

해설

1568년(선조 1)에 사마시에 합격한 청허재(淸虛齋) 손엽(孫
曄, 1544~1600)이 양좌동 맨 서남단 둔덕에 수운정을 세웠
다. 그는 이곳에서 지산(芝山) 조호익(曺好益), 백담(栢潭)
구봉령(具鳳齡) 등과 어울려 세속의 일을 잊었다. 정자 수
운(水雲)의 뜻은, 물을 맑고 구름은 덧없이 흘러 간다는 '수청운허(水淸雲虛)'에서 취한 것
으로, 여기에서 그는 호를 '청허재(淸虛齋)' 또는 '청허자(淸虛子)'라 하였다. 물의 맑음은
자신의 내면적 심성을 드러낸 말이고, 구름이 흘러간다는 말은 세속의 득실에 대해 초연
하겠다는 의지다. 수운정(水雲亭)의 현액은 2개가 걸려 있다. 특히 대청 안에 걸린 글씨가
주목된다. 글씨 쓴 사람은 정암(庭菴)이다. 수(水) 자와 운(雲) 자 모두 물이 흐르고 구름이
훨훨 날아오르는 듯한 전서체로 썼다. 수운정은 바위 위에 세워졌다. 화기(火氣)가 왕성
하여 자주 화재가 발생하였다. 화기를 꺾을 수 있는 것은 수기(水氣)이고, 수운(水雲)은 모
두 물이다. 그리하여 서체를 유순하게 써서 강렬한 기를 억누르고자 했다고 한다. 임진왜
란 때 집경전 어용을 잠시 수운정에 옮겨 모신 적이 있다. 정자 앞에는 형산강 물이 길게
흘러 들어오고, 멀리 까마득하게 경주부가 보인다.

양동마을 수운정

98. 월성에서

간재(艮齋) 이덕홍(李德弘, 1541~1596)

반월성은 아직 있으나
망국의 한을 어찌 견디랴.
금오산은 옛 울분을 삼킨 듯
문천은 슬픈 소리로 흐른다.
가무 울리던 곳에 부질없는 봄새들 울음이고
번화했던 문물에 다만 저녁 햇살이 따사롭다.
다하지 못한 생각에 방황하며
가다가 발길 멈추고 서성거린다.

月城(월성)

半月城猶在(반월성유재)

那堪歎黍離(나감탄서리)

鰲山含舊憤(오산함구분)

蚊水奏餘悲(문수주여비)

音樂空春鳥(음악공춘조)

繁華只夕暉(번화지석휘)

彷徨懷不極(방황회불극)

行邁更遲遲(행매갱지지)

『艮齋集』권2

해설

신라의 흥망을 노래하고 우리의 삶이 덧없음에 눈물을 흘리며 머뭇거린다. 월성은 신라를 대칭하는 말로, 월성회고는 곧 신라회고 또는 동도회고다. 이 같은 동도회고라 쓴 제목의 시(詩)만 모아도 족히 100여 수는 될 것이다. 뿐만 아니라 불국사, 첨성대 등 시는 모두 얼마나 있는지 그 파악조차 하기 어렵다. 그렇지만 명사들이 남긴 유명한 시는『동경잡기』등 지리지「제영(題詠)」에 다수 실려 전하고, 또한 개인 시문집에 실려 있다. 경주의 시문록은, 일제강점기 때 오사카 긴타로(大坂金太郞)가 여러 문집의 글을 발췌하여『시문발췌집(詩文拔萃集)』을 간행하였고, 이를 증보하여 1962년 고고미술동인회에서『경주고적시문록(慶州古蹟詩文錄)』을 발간하였다. 이 책에는 시뿐만 아니라「동경관상량문」등 글도 다수 포함되어 있다. 위 책에 경주의 고적 시문이 다수 실렸지만 역시 극히 일부에 지나지 않는다. 이를 찾아내어 정리해야 할 것이다.

99. 신라의 부러진 세 비석

무장사 비는 김육진(金陸珍), 문무왕 비는 한눌유(韓訥儒)가
글씨를 썼으나 김유신 비는 쓴 사람 이름이 빠졌다.

영재(泠齋) 유득공(柳得恭, 1748~1807)

무장사의 '무장'은 과연 무슨 뜻인가
부도를 세우며 갑옷을 묻었다는 말이네.
궁궐에서 부처님 모시고 부지런히 복을 빌자
아미타불상이 곳곳에 웅장하게 건립되었다.
문무왕 비는 그 비문을 고증할 수 있는데
아! 안타깝게도 뼛가루를 바다에 뿌려 장사지냈다.
계림 김씨는 황금 궤짝에서 나왔는데
다시 당혹스럽게도 투후(秺侯)를 말하는구나.
각간 김유신은 나라의 큰 공훈을 세우고 벼슬도 높았다.
방언(方言)을 싫어하고 가르치지 않았고
비문 지은 사람을 '수특진(授特進)'이라고만 썼네.
당시 신라는 비로소 당나라를 높이 받들어
따라서 세 비석 모두 구양순의 서체이다.

新羅三殘碑(신라삼잔비)

鍪藏寺碑金陸珍書 文武王碑韓訥儒書 金角干碑書人缺

鍪藏之義果安在(무장지의과안재)

椒宮奉佛薦福勤(초궁봉불천복근)

文武王碑攷厥詞(문무왕비고궐사)

雞林之金出金櫝(계림지김출금독)

金角干者金庾信(김각간자김유신)

應嫌方言不雅馴(응혐방언불아순)

是時新羅始慕唐(시시신라시모당)

有建浮屠薶首鎧(유건부도매수개)

阿彌陀像雄嵬嵬(아미타상웅외외)

粉骨鯨津鄙哉噫(분골경진비재희)

更引秏侯令人疑(갱인투후령인의)

有大勳勞爵亦峻(유대훈로작역준)

撰銘者曰授特進(찬명자왈수특진)

三碑字體皆歐陽(삼비자체개구양)

『泠齋集』권5

무장사의 무(鍪) 자는 무사들이 쓰는 투구다. 무장은 투구 곧 병기를 감춘다는 뜻으로, 전쟁이 끝났다는 말이다. 불탑을 세우면서 그 속에 무기를 넣었다. 초궁(椒宮)은 왕비 등이 거처하는 궁궐로, 이곳에서 부처를 모시고 복을 빌자 아미타불상이 곳곳에 산처럼 웅장하게 세워졌다. 무장사의 유래와 부도가 건립된 배경을 먼저 말하지만 작가는 지나친 숭불을 배격하고 있다. 문무왕이 임종 때 남긴 유조사(遺詔詞)가『삼국사기』에 실려 있다. 그런데 왕의 시신을 화장하여 고래나루에 뼛가루 뿌린 일은 비속한 불교에 의한 일이라고 안타까워했다. 계림 김씨의 시조는 알지(閼智)이고 그는 시림 금궤에서 탄생되었다고 역시『삼국사기』에 기록돼 있다. 그런데 사람들은 간혹 투후의 후손이라고 말하여 당혹스럽다고 했다. 투후는 한나라 무제 때 흉노에서 귀화한 김일제(金日磾)를 지칭한다. 김유신은 삼국을 통일한 원훈이 있고, 그 관직도 태대각간으로 높였다. 유득공이 김유신의 비를 보았다고 했다. 지금 김유신 묘비 가운데 가장 오래된 비석은 부윤 남지훈이 1710년(숙종 31)에 세운 것이다. 유득공이 읽었다는 비는 남지훈의 것이 아니고 문무왕이 유사에게 명하여 세운 옛 비석이다. 이는 유득공 이외에 아무도 본 사람이 없다. 또한 찬자 곧 비문 지은 사람을 밝히지 않고 다만 '수특진(授特進)'이라고 썼다. 수특진은 신라 방언으로, 그 뜻을 어떻게 해석해야 할지 모호하다. 비문을 잘 지어서 특별히 관직을 제수했다고 풀이할 수도 있을 것이다. 유득공은 주를 붙여 무장사 비와 문무왕 비는 글씨 쓴 사람이 있으나 김유신 비에는 이름이 빠졌다고 했다. 시 속에 그림이 있다 해서 시중유화(詩中有畵)라 줄곧 말하지만 시중유사(詩中有史)도 많다.

무장사비   문무왕비

100. 문천에서

노봉(老峯) 김극기(金克己, 고려 명종 때 문신)

봄에 내려주신 조물주의 은혜

온갖 사물이 고루 혜택을 입는다.

꽃술은 따스한 봄바람에 활짝 피고

새 소리에 화사한 기운을 느낀다.

붉은 빛은 붉디붉은 복숭아꽃에 오르고

희디흰 빛은 하얀 오얏꽃에 스며든다.

꾀꼬리 소리는 목동의 노래와 어울리고

제비 허리는 기녀들의 춤마냥 가볍네.

농염한 봄날을 혼자 만끽하며

아름다운 경치 찾아 이리저리 다닌다.

잠시 토령(兎嶺) 마루에 오르려다

그만 문천 물가를 따라간다.

허공을 향해 멀리 바라다보고

언덕에 올라 가만히 귀를 기울인다.

크고 작은 산은 병풍처럼 둘러있고

넘실거리는 물살은 거울같이 맑구나.

구름 끝자락에 누런 고니 날고

물 위에는 붉은 잉어 뛰어 논다.

난초 움켜잡으니 그윽한 향기 풍기고

연꽃 떨기 씹으니 빼어난 빛깔이구나.

좋은 경치는 참으로 만나기 어렵거늘

부질없는 인생 어찌 오래 믿을 건가.

요컨대 세상 밖에 한가히 노닐며

인간의 얽매임을 모두 버리런다.

붓 쥐고 미친 듯 읊조리고

술잔 돌리며 취기를 자랑한다.

옳고 그른 것 다 잊어버리고

영화와 궁핍도 함께 벗어버린다.

익은 술에 아직 취하지 않았는데

붉은 해는 서산에 넘어가려 하네.

오늘 저녁이 어느 때이며

이 몸은 뉘 집 아들이던가.

봉래산의 신선이 아니라면

진실로 칠원(漆園)의 관리[5]이겠지.

부침(浮沈)도 오히려 마음에서 잊었는데

가고 머무름을 내 어찌 관여하랴.

머리 들어 아름다운 자연 하직하고

부축 받으며 발길을 돌린다.

다만 시끄러운 속세에 나가면

새벽부터 명리(名利)를 따라갈까 두렵구나.

---

5) 전국 때 장주(莊周)가 칠원에서 벼슬살이했다 하여 이르는 말로, 곧 장자(莊子)를 가리킨다.

蚊川(문천)

東皇一手恩(동황일수은)　萬彙均沾被(만휘균첨피)
花心驚惠風(화심경혜풍)　鳥性感和氣(조성감화기)
朱朱上緋桃(주주상비도)　白白尋練李(백백심련리)
鶯舌鬪歌童(앵설투가동)　燕腰欺舞妓(연요기무기)
占斷艷陽天(점단염양천)　追攀幽勝地(추반유승지)
將升兎嶺巓(장승토령전)　却並蚊川涘(각병문천사)
仰空遙送目(앙공요송목)　臨岸靜傾耳(임안정경이)
屛開簇簇山(병개족족산)　鏡轉溶溶水(경전용용수)
雲端帖黃鵠(운단첩황곡)　浪面跳紫鯉(낭면도자리)
幽馨掬蕙蘭(유형국혜란)　秀色湌荷芰(수색찬하기)
美景苦難逢(미경고난봉)　浮生寧久恃(부생녕구시)
要成域外遊(요성역외유)　都遣人間累(도견인간루)
走筆縱狂吟(주필종광음)　飛觴誇爛醉(비상과란취)
是非兩忘筌(시비양망전)　榮悴俱脫屣(영췌구탈사)
綠醅猶未闌(녹배유미란)　紅暑忽將墜(홍구홀장추)
今夕是何時(금석시하시)　此身誰氏子(차신수씨자)
若非蓬島仙(약비봉도선)　眞箇漆園吏(진개칠원리)
浮休尙忘情(부휴상망정)　去住寧介意(거주녕개의)
擧頭謝煙霞(거두사연하)　扶腋回杖履(부액회장리)
但恐車馬場(단공거마장)　晨興趁聲利(신흥진성리)

『新增東國輿地勝覽』권21

해설

김극기는 고려 명종 때 문신으로 전하고 생졸은 미상이다. 과거에 급제했으나 벼슬살이를 좋아하지 않았고, 많은 시를 남겼으나 지금은 『동문선』 등에 전한다. 그는 영천에서 아화를 거쳐 경주에 머물렀고 언양 쪽으로 내려갔다. 『동경잡기』에 그의 주옥같은 시 10수가 남아 전한다. 이 가운데 「문천」과 「문천불계시(蚊川祓禊詩)」는 경주 사람들의 많은 사랑을 받은 작품이다. 위의 시를 보면 때는 삼춘이다. 냇가에는 온갖 만물이 시절을 만났다. 어디선가 봄바람은 화창하게 불어온다. 붉은 복숭아꽃과 하얀 오얏꽃은 더욱 아름답고, 꾀꼬리와 제비는 짝을 지어 날아든다. 잠시 남산을 오르려다 그만 문천으로 내려오니 사방 크고 작은 산이 솟았고, 물은 넘실거리며 흐른다. 향기로운 풀떨기가 빼어났고, 물 속에는 잉어 무리가 뛰어논다. 생동감이 넘치는 자연이 너무나도 아름다웠다. 본디 뛰어난 경치란 만나기 어렵고 부질없는 우리의 삶은 너무나 짧다. 세상의 모든 굴레를 모두 벗어던지고 비깥 세계를 노닐고 싶다. 붓 가는 대로 시를 짓고 술잔을 맘대로 들며 도취하려 한다. 인간의 시비와 영욕을 모두 잊었다. 어느덧 해는 서산에 기울고 있었다. 앗차! 오늘이 며칠이고, 내가 누구인고? 자신의 존재를 망각하고 혼연히 자연과 일체가 되었다. 자아는 이미 선계(仙界)를 넘나들고 있었다. 그러나 이것도 잠시, 마냥 머무를 수 없다. 홀연 정신을 차리고 돌아가려 한다. 이는 오늘 하루의 즐거움일 뿐 내일이면 다시 세상의 영욕에 뛰어들 자신이 아닌가, 두려운 것은 이것이라고 끝을 맺었다.

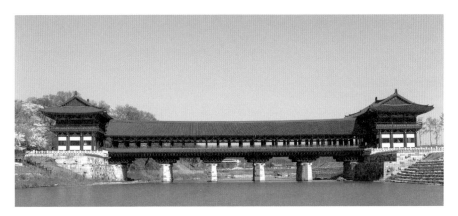

문천 월정교

경주, 한시로 읽다

2021년 6월 15일 초판 1쇄 발행

지은이 조철제
사 진 오세윤

펴낸이 권혁재

편 집 권이지
디자인 이정아

인 쇄 성광인쇄
펴낸곳 학연문화사
등 록 1988년 2월 26일 제2-501호
주 소 서울시 금천구 가산디지털1로 168 우림라이온스밸리 B동 712호

전 화 02-2026-0541
팩 스 02-2026-0547
E-mail hak7891@chol.com

책값은 뒷표지에 있습니다.
잘못된 책은 바꾸어 드립니다.

ISBN 978-89-5508-437-5 03910